NOÉ
FACE AU DÉLUGE

Flore **Talamon**

Illustrations : Julie **Ricossé**
Dossier : Marie-Thérèse **Davidson**
Collection dirigée par Marie-Thérèse **Davidson**

▲▲▲**Nathan**

À Maëlie. Fluctuat nec mergitur.

*Les * dans le texte renvoient au lexique en fin d'ouvrage.*

Iʳᵉ PARTIE
LA FUREUR DES HOMMES

CHAPITRE 1
DÉBORAH

Le sommeil de Déborah fut troublé par un choc. Dans une semi-inconscience, elle tenta de repousser la masse chaude et inerte qui avait roulé contre son flanc. En ouvrant les yeux, elle découvrit que Noémi s'était lovée contre elle. La jeune fille souleva une des mèches entortillées qui cachaient le visage de sa petite sœur. Celle-ci dormait paisiblement, la joue calée sur sa main potelée, un filet de salive à la commissure des lèvres. Son envie de la secouer pour se venger d'avoir été réveillée s'évanouit.

Déborah se tourna de l'autre côté de la natte ; comme elle s'y attendait, la place de ses parents était vide. Avant de s'esquiver hors de la pièce, ils les avaient toutes deux recouvertes d'une peau de mouton : même en cette saison chaude, les petits matins restaient frais.

Des raclements, puis un long bêlement se mêlèrent aux bruits feutrés qui provenaient de l'extérieur. Elle imagina sa mère cassant des branchages pour raviver le feu du four, son père accroupi faisant jaillir de longs jets fumants du pis des chèvres. Elle resta étendue, profitant des derniers moments de calme de la journée. Celle-ci serait longue, les moissons n'étaient pas finies. Mais le plus dur était derrière eux, avait affirmé Noé la veille. Comme chaque soir, la tribu s'était retrouvée pour partager le dîner dans la cour. Assis autour du feu, ils avaient mangé en silence les pois chiches au cumin et les figues. Puis le chef de famille avait parlé, posément comme toujours. Mais dans sa voix perçait une satisfaction qui avait réchauffé tous les cœurs.

– Sem, Cham, Japhet, mes fils, nous pouvons nous réjouir : d'ici deux jours, tout le blé sera enserré dans le silo. Cette année encore, nous ne souffrirons pas de la faim. Nous pourrons même vendre une partie de la récolte pour nous procurer les biens qui nous manquent.

Déborah ne quittait pas son grand-père des yeux. À la lueur tremblotante des flammes, sa longue barbe blanche et ses sourcils broussailleux prenaient des teintes fauves qui le faisaient ressembler à un vieux lion.

– Tout le mérite t'en revient, père, avait répondu Sem. Les nouvelles lames en obsidienne ont fait merveille sur nos faucilles, et sans ton idée nous aurions mis moitié plus de temps pour faucher.

– C'est vrai, mais si nous avions eu l'aide d'Hadad et de Nabal, la moisson serait déjà finie !

La remarque de Cham, le père de Déborah, avait suscité un silence gêné dans l'assemblée. Les femmes s'étaient regardées d'un air entendu, et Naama, sa grand-mère, avait tourné son visage plissé par l'âge vers Noé. C'était la première fois que quelqu'un saisissait le chef de la tribu de ce nouveau problème : Hadad et Nabal, les fils aînés de leur voisin Élisour, n'avaient pas participé à la moisson et leurs bras vigoureux avaient cruellement fait défaut.

– Allons-nous partager la récolte comme à l'habitude ? avait insisté Cham.

– Je sais ce que vous pensez, mes fils, avait reparti Noé, toujours imperturbable. Mais un accord est sacré : ce champ, nos deux familles se le partagent depuis des années, et je ne priverai pas Élisour de son dû. D'ailleurs, il m'a promis que ses fils viendraient demain.

– Mais puisque eux-mêmes ne respectent pas cet accord ! Si le travail est inégal, la récolte doit l'être également !

– Allons, Cham, réfléchis. Admettons que nous

fassions comme tu le suggères : supporteras-tu de voir Élisour, Sérouah et Moushi souffrir dans quelques semaines de la faim ? Ne serons-nous pas alors dans le devoir de leur donner des grains ? Et dans ce cas, n'est-il pas mieux de leur laisser maintenant leur part habituelle que de les embarrasser plus tard avec un don ?

Cham n'avait pas contesté. La sagesse de Noé emportait une fois de plus l'adhésion de tous. Et Déborah avait soupiré de soulagement : tant que son ami Moushi était protégé par son grand-père, les bêtises de ses frères aînés ne lui causeraient aucun tort !

Le fil de ses pensées fut interrompu par l'apparition de sa mère dans l'encadrement de la porte. De subtils effluves de pain chaud se répandirent dans la pièce.

– Allons, les filles, il faut se lever ! Il y a beaucoup à faire aujourd'hui !

Qu'elle était belle, sa mère, dans sa longue tunique à franges qui ne laissait voir que ses avant-bras dorés et son visage fin éclairé d'un sourire !

– Ce matin, nous allons nettoyer la maison de fond en comble ! annonça-t-elle gaiement en claquant des mains.

– C'est vrai ? Ça veut dire que la fête, c'est pour bientôt ? s'exclama Déborah en sautant sur ses pieds. Japhet jouera-t-il de la flûte ? On pourra danser ?

– Quelle pluie de questions ! Oui à tout !

– Mais ce sera quand, dis ? insista la jeune fille.

– Demain, ou après-demain au plus tard.

– Alors, je reste ici, ce matin ?

– Non, ma chérie, tu es trop utile au champ. Au fait, tu n'oublieras pas de reprendre tes sandales, ton père les a réparées tout à l'heure !

Ce disant, elle se pencha pour attraper la petite Noémi, toujours endormie. Sans ouvrir les yeux, la fillette s'agrippa à son cou, faisant glisser le tissu qui recouvrait la chevelure de leur mère.

– Ah toi, si tu commences par me déshabiller, nous voilà bien ! s'amusa cette dernière tout en se recoiffant.

Pendant que sa mère entreprenait de vêtir sa sœur, Déborah se hissa sur le coffre en bois – unique meuble de la pièce – et se dressa sur la pointe des pieds afin d'atteindre l'encoignure de l'étroite fenêtre.

– Oh, comme c'est beau ! murmura-t-elle.

La rosée avait déposé un trait argenté sur chaque fil d'une toile d'araignée et constellé son fin canevas d'une multitude de gouttelettes translucides.

– Viens, je vais te cacher sous une poutre, dit doucement Déborah. Ici, tu vas prendre un coup de balai, c'est sûr.

Elle leva la main et attendit patiemment que l'araignée acceptât de monter sur son doigt. Déborah n'avait pas toujours été l'amie de ces discrètes occupantes du foyer. Mais depuis qu'elle filait la laine pour sa mère, elle avait changé. Après avoir, des jours durant, emmêlé plutôt que démêlé les fils et ragé de sa maladresse, elle avait regardé avec une curiosité nouvelle le travail de ces minuscules ouvrières. Leur avancée méthodique et patiente avait forcé son admiration. Et puis, une nouvelle toile d'araignée dans la maison ne coïncidait-elle pas toujours avec un événement heureux ? Les araignées portaient chance, elle n'en doutait pas, et sa mission était de les protéger.

Dans la cour, son père parlait avec Sem, son frère aîné, qui le dominait d'une bonne tête.

– Ah, voilà ma grande Déborah ! se réjouit-il en l'attirant affectueusement contre lui. Regarde-la, Sem ! Ma fille n'est-elle pas aussi jolie que courageuse au travail ?

Déborah se laissa étreindre un instant puis se dégagea. Elle ne voulait plus être traitée comme une enfant, elle qui, à onze ans, avait presque rattrapé la taille de sa mère. De plus, le regard douloureux de Sem l'attristait. Il n'était pas son oncle favori, même si elle avait toujours aimé se jucher sur ses épaules de colosse. Elle lui préférait Japhet, au caractère moqueur et plein d'allant. Mais Sem était d'une infinie gentillesse envers elle, la couvant à la manière d'un second père, et elle aurait donné beaucoup pour illuminer ses yeux gris. Comme Japhet, Sem n'avait pas d'enfant, mais, alors que son cadet venait de prendre femme, lui était marié depuis longtemps déjà et désespérait d'engendrer un jour une descendance.

Noé sortit de sa maison, un gros bâton à la main, signifiant le départ au champ. Cham siffla et Japhet apparut silencieusement. Il avait le pas feutré de celui qui vit parmi les bêtes. Tous les cinq se mirent à gravir lentement le raidillon qui menait au plateau, Noé en tête.

Déborah marchait le cœur léger. Elle se sentait pleine de vie et devait se retenir de gambader. La brise s'engouffrait sous les pans de sa tunique et gonflait sa coiffe. Elle s'arrêta un instant pour regarder la vallée. La lumière orangée du matin faisait briller les marais et elle pouvait voir le gué, en aval du ruisseau, où son père tannait les peaux en temps ordinaire. En revanche, on ne distinguait déjà plus leur hameau, tant la pierre des quelques maisons blotties à flanc de colline se fondait dans le paysage.

Elle dut courir pour rattraper le groupe, qui grimpait en silence. Sa main se glissa dans celle, sèche et longue, de Noé : elle lui était tellement reconnaissante de l'avoir autorisée à aider au champ. C'était bien plus amusant que de rester avec les femmes !

En arrivant sur le plateau, ils aperçurent trois silhouettes au loin, et Déborah se réjouit à l'idée que le voisin fût venu en force. Mais en approchant, elle eut la surprise de découvrir que ce n'étaient pas Hadad et Nabal qui accompagnaient Élisour, mais sa femme, Sérouah, et son plus jeune fils, Moushi. Les deux groupes se rejoignirent. Après les salutations d'usage, Élisour dit d'une voix légère :

– Les garçons ont été retenus en ville un jour de plus. Sérouah et Moushi vont les remplacer.

Noé jeta un coup d'œil sceptique sur l'épouse amaigrie de son voisin et sur son jeune fils au regard voilé. Ce dernier avait perdu la vue dans les premières années de sa vie, des suites d'une maladie.

– Tu m'avais pourtant promis qu'ils viendraient, remarqua le vieil homme.

– Oh, tu sais ce que c'est ! Ils ont dû faire des rencontres, s'amuser. Il faut bien que jeunesse se passe !

– Une promesse est une promesse, non ? Il y a un temps pour travailler et un temps pour se divertir.

– Bah, ce sont des petits malins… Ils savent qu'on peut se débrouiller sans eux, répliqua le voisin avec un geste du bras indiquant que le sujet était clos.

Noé fronça ses imposants sourcils.

– Tu te trompes en les excusant, Élisour. C'est à toi de leur signifier quel est leur devoir. Enfin, ne perdons pas plus de temps. Sérouah, tu m'aideras au battage du blé. Déborah et Moushi, vous vous occuperez des gerbes de paille. Les autres, vous terminerez le fauchage.

Tout le monde se dispersa dans le silence, et Déborah resta seule avec Moushi. Elle attrapa le bras de son ami et dit :

– Viens, il faut aller chercher la hotte.

– Attends !

Il leva la main et effleura délicatement de ses doigts le visage de la jeune fille. Elle se laissa faire en silence.

– Je ne connais rien de plus doux que ta peau, Déborah… Même celle du lapereau semble de l'écorce par comparaison, murmura le garçon.

Puis il ajouta d'une voix raffermie :

– Bon, maintenant que je suis sûr que c'est bien toi, nous pouvons y aller.

– Tu te moques de moi ! s'esclaffa Déborah. Tu avais parfaitement reconnu ma voix !

Tout en guidant le pas hésitant de son ami, elle se confia à lui :

– Tu ne le répéteras pas, mais moi, je suis drôlement ravie que tes frères ne soient pas là. Grâce à eux, nous allons passer toute la journée ensemble !

– Moi aussi, je suis content, Déborah, répondit Moushi en lui pressant la main en signe d'accord. En fait, ce matin, j'étais jaloux de mes frères, car moi aussi, j'aurais aimé aller m'amuser à la ville… mais maintenant je ne changerais ma place contre la leur pour rien au monde !

Ils étaient arrivés près de l'unique arbre du champ,

un acacia à l'abondant feuillage. C'était là que tous les soirs on regroupait les outils nécessaires à la moisson. La jeune fille choisit une hotte et la plaça sur les épaules de son ami.

– Bon, nous voilà équipés. Au travail.

Elle tira sur la main de Moushi, mais il l'arrêta dans son élan.

– Ne veux-tu pas cueillir la touffe de ciboule à tes pieds ?

Déborah, surprise, scruta le sol et finit par découvrir la plante aromatique, bien cachée derrière une motte de terre. Elle la déposa au fond du panier.

– Sans yeux, tu vois mieux que moi… Tu me surprendras toujours !

Malgré la chaleur grandissante, les premières heures de la matinée s'écoulèrent plaisamment. Déborah ramassait les tiges laissées au sol par les hommes et emplissait la hotte de Moushi. Une fois celle-ci pleine, ils s'asseyaient sous l'arbre et formaient les gerbes de paille en les liant avec un long et solide brin. Ils discutaient de tout et de rien, jouissant de ce rare moment passé loin des oreilles de leurs parents.

À midi, ils déjeunèrent et se reposèrent tous à l'ombre de l'acacia. Malgré la chaleur accablante, les hommes et Sérouah repartirent rapidement au travail, laissant seuls les deux amis. Déborah s'amusa à comparer et à entraver ensemble leurs poignets, celui de Moushi, foncé et ombré par une pilosité naissante, et le sien, plus fin et clair. Elle serra davantage le brin de paille qui les unissait et dit en riant :

– Maintenant, tu es mon prisonnier.

– J'accepte, mais à une condition, répondit-il avec sérieux.

– Laquelle ?

– Emmène-moi à la rivière ! Je n'en peux plus de cette chaleur !

– Tu n'y penses pas ! s'indigna Déborah. Si nous redescendons dans la vallée, jamais nous ne pourrons finir de ramasser la paille aujourd'hui.

– Quelle importance ! Nous terminerons demain.

– Et si jamais il y avait de l'orage ? Toute la paille serait gâtée.

– Il n'y aura pas d'orage, tu sais bien qu'il fait beau. D'ailleurs, les fourmis sont calmes, je le sens.

Déborah regarda le ciel, puis les grands yeux troubles, presque laiteux, de son ami. Sans pouvoir cacher une pointe d'admiration pour sa perspicacité, elle le sermonna :

– Moushi, mon grand-père nous a demandé de l'aide !

À cet instant, le garçon, toujours entravé, tourna sa main de manière à entrecroiser ses doigts avec les siens. Troublée par cette intimité, Déborah rougit, sans toutefois retirer sa main. Moushi lui souffla :

– Fais-moi plaisir, Déborah. Sans tes yeux, je ne peux rien faire. Et n'oublie pas, je suis ton prisonnier.

Son ton était pressant, entre prière et rage, et sa main était moite de chaleur. Déborah se souvint du quotidien de Moushi, le plus souvent cantonné aux quatre murs de sa maison et livré à lui-même par des parents indifférents. Il leur arrivait même d'oublier de lui laisser de la nourriture ! La jeune fille céda et ils s'éclipsèrent.

L'eau de la rivière était délicieusement rafraîchissante et Moushi eut tôt fait d'inventer un nouveau jeu : Déborah devait se tenir immobile dans l'eau tandis qu'il la cherchait. Quand ils inversèrent les rôles et qu'elle ferma les yeux à son tour, elle découvrit à quel point s'orienter dans le noir était effrayant. Et malgré l'aide de Moushi – bon joueur –, jamais elle ne parvint à le trouver.

Toute à ces jeux, Déborah avait oublié sa résolution de ne rester qu'un bref moment à la rivière. Aussi l'apparition de Noé fut-elle un brutal rappel de sa désobéissance.

– Déborah, Moushi ! Nous vous avons cherchés tout l'après-midi ! dit Noé sur un ton contrarié. Non seulement vous laissez votre tâche en plan, mais en plus vous disparaissez sans prévenir !

Le vieil homme, immobile et les bras croisés, attendait

visiblement des explications, mais Déborah, ne voyant nulle bonne raison pour se justifier, gagna la berge en silence.

– Je t'ai fait confiance, Déborah, constata Noé avec dépit, et je comptais sur ton aide. Je vois que j'ai eu tort. Puisque tu te conduis encore comme une enfant, nous te traiterons comme telle. Tu ne viendras plus au champ avec nous. Et toi, Moushi, tu ferais bien de ne pas suivre l'exemple de tes frères, sinon il ne sera plus question que tu voies ton amie. Déborah, raccompagne-le chez lui.

Le retour fut sinistre. Moushi, furieux d'avoir été grondé par Noé, grommelait contre lui en le traitant de vieille bique, et contre son amie en disant qu'elle n'était qu'une peureuse. Déborah, elle, se taisait, absorbée par ses remords. Elle n'avait pas été à la hauteur des attentes de son grand-père et se sentait aussi misérable qu'un charançon.

CHAPITRE 2
SEM

Ho, Siddi, tout doux ! dit le fils aîné de Noé à
– l'âne, qui ne cessait de gratter le sol poussié-
reux de son sabot et de faire des moulinets de la tête.

– Ce n'est pas sa faute, Sem, ce sont les mouches qui
l'embêtent.

Déborah avait surgi à l'improviste et flattait l'animal
de la main.

– Regarde, il est blessé au poitrail et à l'épaule,
ajouta-t-elle en montrant des plaies purulentes.

Sem jeta un coup d'œil sur le vieil âne, puis se
tourna vers la fillette.

– Bien observé. Et toi, tu es déjà levée ?

– Depuis longtemps, déclara Déborah en haussant les épaules. J'ai même eu le temps d'aller à la rivière. Avec ces emplâtres, Siddi ne sera plus harcelé par les insectes.

Ce disant, elle ouvrit sa main pleine de glaise humide et se mit à en badigeonner les plaies de l'animal, qui se calma peu à peu. Sem la regarda faire, puis attrapa deux gros sacs de toile par la corde qui les liait l'un à l'autre et les fixa de chaque côté de l'encolure. Il recula d'un pas et soupira. Le chargement était bien équilibré. Avec un peu de chance, ces couvertures en laine et ces peaux tannées qu'ils emportaient en ville leur permettraient d'acquérir les épices et le miel, les jarres et les bols en poterie que les femmes réclamaient.

– Va prévenir ton père que nous sommes prêts à partir, demanda-t-il à Déborah.

Sem se baissa pour franchir le seuil de sa maison. Dans la semi-obscurité, son épouse se leva et, le visage tiré par l'inquiétude, lui tendit une outre gonflée d'eau. Il la prit sans mot dire. Aller à la ville n'avait jamais été pour lui une partie de plaisir, mais cette fois-ci les motifs mêmes de son voyage étaient périlleux.

Tout en nouant les liens de ses sandales, Sem repensa aux événements récents. Quel enchaînement de contrariétés ! Pourtant, la récolte avait été bonne et c'était dans la liesse que les femmes avaient préparé la fête, les tendres galettes et les dattes enrobées de miel, les plats de lentilles relevés d'épices et le *leben*[1]. La fête... La tribu s'était retrouvée à la nuit tombante dans la cour, les hommes lavés de près, les tuniques encore humides de leur passage dans la rivière, et les femmes teintes de henné et parées de leurs plus beaux colliers. Déborah et Noémi, surexcitées, couraient dans tous les sens. Japhet avait attaqué quelques airs de flûte, accompagné par Cham qui martelait une jarre, un instrument improvisé pour l'occasion et qui avait suscité une salve de cris et de rires. C'est alors que la famille d'Élisour était apparue dans le cercle de lumière. Hadad et Nabal, absents au champ, leur avaient fait l'affront de venir à la fête ! Ils étaient en compagnie de deux filles vêtues d'étoffes légères, fardées et parfumées à l'excès. Des prostituées.

Noé leur avait dit qu'ils n'étaient pas les bienvenus, mais les deux vauriens s'étaient contentés de rire tandis qu'Élisour jouait le père offensé. Devant l'hostilité générale, Hadad et Nabal avaient fini par disparaître en tirant leurs créatures derrière eux. Trop tard : la fête était gâtée ! Pire encore, le lendemain matin, Cham et lui avaient découvert que le couvercle du silo avait été déplacé et une part importante de la récolte prélevée.

---

1. *Sorte de yoghourt encore fabriqué au Maghreb et au Proche-Orient.*

Ils avaient couru chez Élisour, mais les fils scélérats avaient déjà disparu. D'où cette expédition décidée par Noé à la hâte pour tenter de récupérer leur bien avant qu'il ne fût dilapidé...

Sem hésita un instant, puis il extirpa un couteau d'une niche dans la pierre. Il le coinça sous sa ceinture et le cacha dans un pli de sa tunique avant de sortir retrouver Cham.

– Cette fois-ci, ils ont vraiment dépassé les bornes ! lâcha ce dernier d'un ton acide. Non seulement ces morveux nous volent nos grains, mais en plus ils affament leur propre famille !

Cham avait toujours été plus impulsif que lui, tant dans les accès de joie que de colère. Sem, malgré son propre ressentiment, le tempéra :

– Ils ont tellement changé depuis qu'ils vont en ville. Il fut un temps où c'étaient de braves gars... même Hadad.

Cham émit un grognement peu convaincu, mais l'apparition de Noé l'empêcha d'en dire plus.

Sem resserra sa ceinture et le contact avec la lame, tel un mauvais présage, le fit tressaillir. Il détacha le licol de Siddi et prit la tête du petit groupe. En quittant la vallée, les trois hommes saluèrent Japhet, qui était assis à l'ombre d'un rocher, au milieu de son troupeau de moutons. C'était lui que Noé avait choisi, lui, le dernier et le plus doux de ses trois fils, pour rester au hameau et veiller sur la tribu.

Après une longue distance parcourue au travers de plateaux broussailleux et désolés, ils aperçurent quelques paysans qui travaillaient la terre après la moisson. Ils vaquaient sans conviction, grattant le sol avec la négligence d'oiseaux trop nourris. Pourtant, lorsque l'un d'eux surprit un enfant en guenilles en train de ramasser quelques graines à la bordure de son champ, il le chassa à jets de pierres. Le gamin, gauche et lent, fut touché à plusieurs reprises. Il finit par disparaître en poussant des piaillements de douleur.

– C'est honteux ! s'indigna Noé, qui avait cheminé jusqu'ici sans mot dire, le pas long et tranquille, les yeux fixés sur la ligne d'horizon.

Sem partagea son indignation : selon la tradition, les veuves et les orphelins devaient pouvoir glaner dans les champs sans être inquiétés. Ces paysans bravaient toutes les règles de la charité !

Enfin, ils distinguèrent au loin, dans la brume de chaleur, le profil des hautes murailles de la ville. Ils n'étaient désormais plus les seuls sur le sentier et ils dépassèrent des femmes titubant sous des hottes chargées de provisions ou des bergers poussant leurs quelques chèvres. À faible distance de la cité, les trois hommes firent halte. Sem tendit l'outre à son père, qui but puis les avertit :

– Vous savez à qui nous avons affaire. N'écoutez que moi, mes fils, et non le sang qui bout en vous et fait un bien mauvais conseiller.

Il sembla à Sem que Noé avait lu dans son cœur. Depuis qu'Hadad avait ri au nez de son père, combien de fois ne s'était-il pas imaginé le frappant encore et encore ! La sauvagerie qu'il sentait alors monter en lui l'impressionnait : lui d'ordinaire si mesuré, saurait-il cette fois-ci se montrer digne de la confiance paternelle ?

Ils approchèrent de la porte de la ville. À cet endroit, le chemin se rétrécissait, et une cohue de paysans, bergers, marchands et gardes se bousculaient en s'invectivant. De temps à autre, un cri de douleur indiquait qu'un fouet, un bâton ou un couteau avait froissé une chair. À peine eurent-ils franchi l'enceinte de la ville que Sem eut le cœur soulevé par une odeur nauséabonde mêlant ordures, excréments et sueur. Il aurait voulu fuir, retrouver la sérénité du hameau, mais Noé s'était déjà engagé dans la rue qui montait au marché. Celle-ci, bordée de hautes maisons, était empruntée par une foule agitée et il eut tout le mal de la terre à protéger son père des heurts. Qui dans cette multitude aurait pris garde à un vieil homme ? Sous ses yeux, un mendiant eut la jambe broyée par un attelage de bœufs sans que ses hurlements émeuvent quiconque. Seul Cham se précipita pour soulever le malheureux et lui administrer quelques soins dans un recoin protégé de l'agitation.

Un peu plus tard, alors que le petit groupe avait repris sa marche, des appels aigus et des sifflements attirèrent l'attention de Sem et il leva la tête vers les fenêtres qui surplombaient la rue. Des femmes aux yeux noircis de khôl, aux joues plus rouges que nature, y étaient assises et leur faisaient signe de monter. L'une d'elles dévoila même le haut de ses cuisses à l'intention de Sem, qui rougit et baissa les yeux. Nul doute qu'Hadad et Nabal avaient disposé ici de tout le choix possible !

Enfin, les trois hommes atteignirent la place du marché. Sa vaste dimension et l'ombrage de quelques arbres en faisaient un lieu fréquenté de tous ceux qui, dans la région, avaient quelque chose à échanger. Quand ils eurent attaché et abreuvé Siddi, Noé ordonna :

– Sem, Cham, je vous attends ici. Prévenez-moi dès que vous aurez aperçu les fils d'Élisour.

Cham partit d'un côté, Sem de l'autre. Celui-ci pouvait enfin examiner la foule à loisir : elle comptait tout autant de riches au visage avide et aux lèvres lippues que de miséreux décharnés. Le fils aîné de Noé s'arrêta devant un pauvre hère qui n'avait que deux moignons à la place des mains et lui offrit ses dattes. À son regard émerveillé, il put se rendre compte à quel point le don était devenu une rareté.

Sem continua son chemin jusqu'à ce que des éclats de voix l'attirent vers un groupe dans lequel il reconnut ses voisins. Il s'empressa d'aller chercher son père et son frère.

Quand Sem revint avec eux sur les lieux, la discussion s'était envenimée. Un homme barbu prenait maintenant la foule à témoin en désignant du doigt les gaillards qui lui faisaient face et parmi lesquels se trouvaient Hadad et Nabal.

– Vous, paysans, disait-il en s'adressant à l'assemblée, n'êtes-vous que des poltrons ? Quand cesserez-vous de courber l'échine devant une poignée de bandits qui truquent les balances, mentent et vous volent impunément ? Bientôt, ils vous prendront vos femmes et débaucheront vos enfants !

– Assez parlé, chancre purulent ! dit alors un homme proche de Hadad.

Se saisissant d'une cruche, il la projeta à la tête du barbu. Il y eut un bruit sourd et ce dernier s'effondra sans un cri.

– Tu m'as pris mon dû ! reprocha vertement Hadad à son ami. Puis reportant son regard vers le sol, il ajouta : Alors, le brave, on se croit le plus fort !

Ce disant, il mit son pied sur la tête de l'homme toujours inanimé et lui écrasa méthodiquement le visage. On entendit des os se rompre. Sem sentit son cœur s'emballer, mais la main de son père se posa sur son avant-bras et il ne bougea pas. Dans la foule, il y eut quelques gloussements amusés, qui le révoltèrent plus encore que la cruauté d'Hadad. C'est à cet instant que Noé s'avança. Avec sa longue barbe blanche et son port de tête altier, il avait la majesté d'un aigle se posant sur son aire. Un silence curieux se fit dans l'assistance.

– Hadad, je venais pour te réclamer le blé que tu nous as volé, mais ce n'est plus un voleur que j'ai devant moi, c'est un assassin ! tonna-t-il. La vérité est-elle si pénible à entendre qu'il te faille tuer pour l'étouffer ? Oh, je ne suis pas surpris : que peut-on attendre d'un homme capable d'affamer son père et sa mère ?

Noé gardait ses yeux bleus fixés sur Hadad, qui, de son côté, semblait sidéré par son apparition. Un murmure de mécontentement parcourut l'assemblée, sans que Sem sût contre qui il était dirigé.

– Hadad, continua Noé, combien de générations faudra-t-il à ta descendance pour laver son sang de tes mensonges et de tes crimes ? Quand te décideras-tu à te conduire enfin en homme plutôt qu'en bête sauvage ?

Nabal sortit soudain de sa réserve :

– Et toi, qui es-tu, vieux fou, pour nous tancer ainsi ? De quel vol nous parles-tu ? Prends garde que tes calomnies n'épuisent pas trop vite le respect dû à tes cheveux blancs !

La rage s'empara de Sem et l'effort qu'il fit pour ne pas

bondir sur son voisin lui donna le vertige. Subitement Hadad, comme réveillé par l'intervention de son frère, éclata d'un rire tonitruant.

– Ha ha ha ! Ce sera amusant ! Le donneur de leçons sera bientôt contraint à voler pour ne pas mourir de faim ! Mais tu verras, tu y prendras goût et tu me dépasseras vite dans cet art.

À cette nouvelle provocation, Cham se précipita en avant et Sem l'imita. La main sur son couteau, il se rua sur Hadad, mais plusieurs hommes lui tombèrent dessus, tandis que d'autres molestaient son frère.

Malgré sa force, Sem fut criblé de coups, et Noé et ses fils furent bientôt poussés hors de la ville sous les quolibets du plus grand nombre et le regard navré de quelques-uns.

– Estimez-vous heureux qu'on vous laisse la vie sauve ! leur cria Nabal avant de disparaître. Et ne remettez jamais les pieds ici !

Une fois dans la campagne, Noé examina les blessures de ses fils. Sem était le plus mal en point. Après avoir nettoyé le sang qui coulait sur son visage, le vieil homme dénombra une estafilade au visage qui laisserait une belle cicatrice et plusieurs bleus et plaies sur ses bras et son torse.

– On dirait que tu n'as rien de cassé… Comment te sens-tu, mon fils ? lui demanda-t-il avec inquiétude, alors qu'il restait accroupi au sol, le regard fuyant.

– Plus mal à l'intérieur qu'à l'extérieur, lâcha son fils aîné.

– Je suis navré, Sem, dit Cham, je n'ai pas pu me retenir... Leur insolence était insupportable ! C'est ma faute si nous avons tout perdu, y compris notre vieux Siddi. Je sais que tu lui étais très attaché.

Sem leva une main lasse pour montrer qu'il ne s'agissait pas de cela. Noé reprit la parole :

– Je comprends ce que tu ressens, mon fils. Tu te désoles de notre impuissance face à ces hommes livrés au plaisir de la débauche et à la facilité de la violence. En cela, tu as raison, car ni ta force ni ton couteau ne peuvent rien contre eux. Pourtant, réjouis-toi, car il y a quelque chose que nul n'est en mesure de te dérober : ta volonté de rester probe et digne.

– Mais, gémit Sem, vois-tu comme le mal est répandu ? Dans toute cette ville, il n'y avait qu'un homme pour réclamer la justice. Et il en est mort !

Noé hocha gravement la tête.

– Je sais, mon fils, je sais. Il faut prier le Tout-Puissant[1], car Lui seul peut ramener ces hommes dans le droit chemin.

Un peu réconforté par les paroles de son père, Sem se redressa et, clopin-clopant, ils prirent tous trois la route du retour. Sur le chemin, ils aperçurent un âne

---

1. Voir « Dieu » dans le lexique.

en train de poursuivre une brebis de ses assiduités. « Décidément, pensa le fils aîné de Noé, tout est corrompu. Dans ce monde, chacun se comporte comme si personne n'allait lui demander de compte, pas même le Seigneur[1]. »

Et c'est chargé de ces sombres pensées qu'il acheva son voyage.

---

1. *Voir « Dieu » dans le lexique.*

CHAPITRE 3

NAAMA

L a femme de Noé broyait les grains de blé dans le mortier tout en surveillant Noémi du coin de l'œil. Toutes deux étaient seules dans le hameau et la petite, qui jouait à creuser la terre dans un coin de la cour, avait été sage jusqu'à maintenant. « Pourvu qu'il ne lui vienne pas à l'esprit de filer ailleurs ! pensait Naama. Jamais je ne serai capable de la rattraper, avec mes pattes raides ! » La meilleure solution aurait été d'attacher la fillette avec une courroie, mais la vieille femme répugnait à traiter sa petite-fille comme une bête.

– Regarde, *Savta*[1], j'ai construit une maison pour mon hanneton !

Noémi, le visage barbouillé de poussière, dévisageait fièrement sa grand-mère. Celle-ci sourit en voyant le petit monticule de terre percé de trous.

– C'est bien, ma chérie, l'encouragea-t-elle.

À cet instant, elle aperçut la silhouette de son mari qui revenait de chez Élisour. Elle fronça les sourcils en remarquant sa démarche plus saccadée que d'habitude. Que s'était-il encore passé ? L'avant-veille, ils avaient été volés ; la veille, son mari et ses fils avaient été molestés… Cela ne suffisait donc pas ? À moins qu'Élisour n'eût tout simplement refusé d'entendre les derniers méfaits de sa progéniture ! Naama frappa plus fort dans le mortier. Cet Élisour était plus entiché de ses fils que la plus tendre des mères ! Cela le perdrait, et tout le hameau avec ! Enfin, Hadad et Nabal étaient partis, et c'était tant mieux. Ils avaient franchi toutes les bornes en volant le pain de leurs parents et en portant la main sur Sem, leur ami d'enfance ! Son beau Sem, qui était maintenant défiguré ! Et le plus triste était que ces deux coquins semblaient avoir trouvé de nombreux complices pour les aider à commettre leurs exactions. Ah, comme elle se félicitait de vivre dans une vallée reculée, loin de la méchanceté des hommes !

---

1. *« Grand-mère » en hébreu.*

Noé n'était plus qu'à quelques mètres et Naama se rendit brutalement compte que son mari titubait. Elle se précipita vers lui et l'aida à s'asseoir à l'ombre, sur une des banquettes en pierre de la cour. Les yeux bleus, translucides, de Noé se fixèrent sur elle sans paraître la voir. Son visage était blafard.

– Que s'est-il passé, Noé ? Que s'est-il passé ? répéta Naama au comble de l'angoisse.

Le vieil homme ne répondit pas. De grosses gouttes de sueur coulaient le long de ses tempes, et Naama, éperdue, courut chercher la cruche pour le désaltérer.

– *Saba*[1], Saba, regarde, j'ai fait une maison !

Noémi avait attrapé la manche de son grand-père et tirait dessus tout en désignant sa construction. Noé sembla enfin prendre conscience de sa présence.

– Oui, dit-il d'une voix faible, elle est belle.

Quand Naama eut réussi à lui faire boire deux ou trois gorgées d'eau, Noé retrouva quelques couleurs.

– Que t'est-il arrivé, Noé, dis-le-moi ou tu vas me rendre folle ! reprit Naama.

Son mari avala sa salive, puis articula lentement :

– L'Éternel[2] m'a parlé. Sur le sentier.

– Qui ?

– L'Éternel, notre Seigneur. Il était très en colère !

Naama le regarda avec des yeux écarquillés.

---

1. *« Grand-père » en hébreu.*
2. *Voir « Dieu » dans le lexique.*

– Toi, tu as pris un coup de chaleur. Viens te reposer, ce voyage d'hier a été épuisant, il faut que tu recouvres des forces.

Noé se laissa conduire sur sa natte, où Naama, perplexe, le coucha en espérant qu'il se remettrait vite. Son inquiétude ne fut pas de longue durée. À son grand soulagement, Noé les rejoignit le soir même pour le souper familial dans la cour. Il resta silencieux un bon moment avant de prendre la parole :

– Mes garçons, je vais avoir besoin de vous dès demain matin. Nous irons chercher du bois de cyprès dans la forêt.

– Dans la forêt ? Là-haut, dans le nord ? s'empressa de dire Japhet. Père, j'ai deux brebis sur le point de mettre bas, il m'est impossible de partir avant deux ou trois jours.

– Nous ne pouvons pas attendre, Japhet.

Son ton était comminatoire et le cadet des fils baissa les yeux en signe d'obéissance.

– Devrons-nous rapporter beaucoup de bois ? questionna Sem.

– Plus que tu ne peux l'imaginer, répondit laconiquement Noé.

– Comment le rapporterons-nous, père ? s'inquiéta Cham. Nous n'avons ni chariot ni bœufs.

– Dieu* y pourvoira.

Naama échangea un regard avec ses fils et ses

belles-filles. Le chef de famille ne semblait pas disposé à donner plus d'explications, mais ses propos étaient vraiment par trop obscurs. Elle osa l'interroger :

– Qu'allons-nous faire de tout ce bois, Noé ?

– Je vous le dirai le moment venu.

– Et si Hadad et Nabal reviennent au hameau, comment ferons-nous ?

– Ils ne reviendront pas.

Ce fut sur ces mots que se clôtura la veillée. Celle-ci resterait dans la mémoire collective comme la dernière avant que la vie de famille ne basculât dans l'inconnu.

Ainsi Noé et ses fils disparurent-ils, au grand dam de Naama. Des jours, des semaines s'écoulèrent. Tous les soirs, la vieille femme se juchait sur son toit dans l'espoir d'apercevoir ses hommes à l'entrée de la vallée. Mais quelle mouche avait donc piqué Noé ? se demandait-elle. À quoi rimait cette histoire de bois ? Il fallait aller loin vers le nord pour trouver les forêts de cyprès, et encore ne savait-on pas précisément où. En attendant, la vie du hameau en était toute perturbée. Sem aurait déjà dû commencer à retourner le champ et Cham à tondre les moutons, que les belles-filles avaient bien du mal à surveiller à la place de Japhet.

Enfin un jour, après une longue période d'attente, Naama remarqua un nuage de poussière à l'horizon.

Elle plissa ses yeux et, au bout de quelques instants, poussa un cri :

– Les voilà !

Sans même chausser ses sandales, elle partit à la hâte à leur rencontre et les retrouva le long du ruisseau. En voyant approcher le convoi, elle crut rêver : chacun de ses fils était à la tête d'un attelage de bœufs tractant plusieurs immenses troncs d'arbre. Noé descendit du premier chariot et il étreignit sa femme avec émotion.

– Vous êtes sains et saufs, quelle joie ! dit Naama d'une voix étranglée.

Puis ses trois fils vinrent la saluer et, malgré leur saleté, elle les jugea plus beaux et plus forts que dans ses souvenirs. Seule la cicatrice de Sem la frappa, car elle avait oublié son visage défiguré. Si la violence des souvenirs attachés à cette marque commençait à s'estomper, le lien qui unissait le vol des grains, l'agression de la ville et le départ de Noé en quête de bois restait un sujet de questionnement pour elle.

Le petit groupe reprit sa marche lente vers le hameau.

– Quels magnifiques bœufs ! Comment vous les êtes-vous procurés ? demanda la vieille femme à son mari qui marchait à ses côtés.

– Nous les avons trouvés en bordure de forêt. Ils étaient abandonnés.

– C'est incroyable !

– Non, car l'Éternel est tout-puissant, répondit Noé, imperturbable.

« Allons bon, il reste convaincu que Dieu s'est adressé à lui ! » s'inquiéta Naama. Mais elle retint sa langue en se disant qu'elle obtiendrait des réponses plus précises de la part de ses garçons. Arrivé au pied du hameau, là où la vallée était la plus large, Noé ordonna qu'on déchargeât les bœufs, et Naama partit encadrer les préparatifs du repas.

Les retrouvailles familiales furent joyeuses. Noémi s'était calée entre les jambes de son père et refusait d'en déloger. Naama regarda avec émotion Cham se laisser aller à un fou rire devant la tendresse entêtée de sa fille. Puis les hommes racontèrent leur long périple à travers les montagnes.

– Un soir, des lions nous ont entourés, expliqua Sem. Leurs rugissements étaient terrifiants. Nous avons agité des flambeaux plusieurs heures durant et n'avons pu fermer l'œil de la nuit.

– Oh, ce n'était rien au regard de la méfiance et de la cupidité des habitants que nous avons croisés, ajouta Cham. Quand nous n'étions pas chassés des villages, c'était signe que les habitants espéraient nous dévaliser !

– Oui, partout les hommes sont devenus fous. Ils font peur, renchérit Japhet, qui n'avait jusque-là guère parlé.

Ce disant, ses beaux yeux légèrement obliques s'embuèrent de larmes.

Le cœur de Naama se serra. Ainsi, le monde entier était devenu cruel ? Son petit dernier avait dû bien souffrir, lui qui n'était jamais sorti de la vallée, lui qui ne connaissait en fait de dureté que celle des roches de la montagne et des bourrasques hivernales. S'en remettrait-il, cet être si doux et si gai qui chérissait comme personne la musique et la danse ? Elle posa une main compatissante sur l'épaule de son enfant.

À peine le repas achevé, Noé demanda à ses fils de redescendre avec lui à la rivière, contrariant le vague espoir de Naama de voir le hameau retrouver une vie normale.

Un peu plus tard, elle alla avec Déborah observer les hommes. Son mari traçait une ligne au sol et elle jugea que l'espace ainsi circonscrit faisait environ 300 coudées[1] de long et 50[2] de large. Ses fils, eux, étaient juchés sur un tronc qu'ils découpaient à l'aide d'une lame pourvue de dents. Une nouvelle invention de Noé, apparemment. Leur travail était colossal, et bien que la chaleur fût moins accentuée en cette période hivernale, tous trois étaient dégoulinants de

---

1. Une coudée mesure entre 45 et 55 centimètres. 300 coudées équivalent donc à une longueur de 135 à 165 mètres.
2. Soit entre 22 et 27 mètres environ.

sueur. Enfin, ils posèrent leur première planche à l'intérieur du rectangle dessiné par Noé.

– Qu'est-ce que tu fabriques, papa ? demanda Déborah à Cham.

– Une arche, ma chérie.

– Une arche ? Qu'est-ce que c'est ?

– Un genre de coffre, une grosse boîte, si tu veux.

Déborah jeta un œil interloqué à sa grand-mère. Celle-ci leva les mains en signe d'ignorance.

– À quoi cela va-t-il servir ? poursuivit la jeune fille.

– Ça, je n'en sais rien, déclara son père. Je peux juste te dire qu'elle fera 30 coudées[1] de haut et comportera une porte sur le côté et un toit légèrement incliné. À l'intérieur, il y aura trois étages et une multitude de petites cellules. Ah, j'oubliais, il y aura aussi une fenêtre au dernier étage.

– Ce sera amusant pour jouer ! s'exclama Déborah.

– Sûrement, admit Cham. Allez, ma fille, laisse-moi travailler maintenant, et va aider ta mère au filage. Tu sais qu'elle a beaucoup à faire.

Le soir, au moment de s'endormir, Naama, les yeux tournés vers le plafond, dit à voix haute dans le noir :

– Qu'est-ce que c'est que cette histoire d'arche ?

– La volonté de Dieu, répondit son mari.

---

1. *Soit entre 13 et 16 mètres environ.*

– Oh, tu m'embêtes avec tes mystères ! Pourquoi Dieu voudrait-Il que tu construises un coffre de cette taille ?

– Tu ne me croiras pas.

– Ça, tu as bien raison. Car mon avis est que tu poursuis je ne sais quel caprice sorti de ta caboche et que tu conduis notre tribu au désastre !

Et sur ces mots se termina la première journée du chantier.

Les efforts titanesques de Noé et de ses fils se poursuivirent pendant des mois. Le chef de famille, oublieux de son âge, était debout du matin jusqu'au soir et dirigeait frénétiquement les opérations.

Sous sa houlette, les troncs furent transformés en planches et les planches assemblées une à une. La construction prit de la hauteur. Naama descendait tous les jours avec ses belles-filles pour observer l'avancement du chantier. Elles étaient souvent rejointes par Élisour, sa femme et son dernier fils. Tandis que Déborah décrivait les travaux à Moushi, le vieux voisin pestait et grommelait que Noé avait définitivement perdu la raison.

Enfin, la charpente de l'arche fut complète et ils purent tous contempler l'œuvre : la boîte de bois était si monumentale qu'elle réduisait la rivière à la dimension d'un filet d'eau. Naama se demanda une fois de plus comment son mari avait pu imaginer une pareille construction. Du moins, cette folie était-elle maintenant derrière eux...

Le soir même, après que toute la tribu se fut restaurée, Noé prit la parole :

– Le chantier a bien avancé, il ne reste plus qu'à calfater l'intégralité de l'arche avec de la poix, afin de la rendre étanche.

Pour la première fois depuis de longs mois, il semblait satisfait. Naama se souvint alors du dîner qui avait précédé à la fin des moissons, un an auparavant. Comme ils avaient alors confiance en l'avenir ! Et comme ils se sentaient à l'abri, dans leur vallée perdue ! Cela s'était révélé bien illusoire ! La violence du monde les avait rattrapés, et son mari, autrefois si avisé, s'était mis à employer son ingéniosité à des projets insensés ! Encore pouvait-elle se réjouir que la famille fût restée unie malgré toutes ces péripéties...

– Nous pourrons bientôt nous atteler aux moissons et entreposer la récolte dans l'arche, continua Noé.

« Ah, voilà donc à quoi servira cette arche ! » pensa Naama avec une forme de soulagement.

– Ne crois-tu pas que tu as vu trop grand ? demanda-t-elle alors.

Noé eut un triste sourire.

– Ma femme, je te promets que tu regretteras bientôt

que cette arche soit si petite. Mais… cela fait long-temps que je ne vous ai pas parlé de nos ancêtres. Vous rappelez-vous ce que je vous ai raconté il y a de nom-breuses années sur Adam* et sur Caïn* ?

Autour du feu, les signes de tête furent incertains et la voix de Noé s'éleva de nouveau dans l'obscurité :

– Dieu a créé Adam, le premier homme, à Son image, pour veiller sur Son jardin, en Éden*. C'était un endroit où la nourriture poussait à foison et où toutes les créatures vivaient aussi harmonieusement que les doigts d'une main. Adam et sa compagne, Ève, auraient pu rester pour l'éternité dans ce lieu. Mais ils enfreignirent la seule interdiction édictée par l'Éternel en goûtant au fruit de la connaissance du bien et du mal. Alors, Dieu les chassa du jardin et les condamna à travailler durement la terre, à souffrir et à mourir…

Le silence dans la nuit fut profond, chacun essayant d'imaginer ce jardin et cette vie sans crainte de la mort.

– Les enfants d'Adam auraient pu retenir cette leçon, reprit Noé, et respecter la volonté de Dieu. Mais non. Caïn, son fils aîné, ressentit de la jalousie pour son frère Abel et le tua. Dieu, dans Sa colère, le condamna à l'errance… Depuis Caïn, plusieurs générations se sont succédé, mais rien ne s'est arrangé. Partout, les hommes ont oublié le Seigneur et multiplient les mau-vaises actions. Pourtant, croyez-moi, Lui ne les a pas oubliés. Et Sa colère est grande !

La voix de Noé s'était chargée d'une menace si pressante que chacun en eut la chair hérissée.

– Pourquoi nous racontes-tu cela, Saba ? osa alors une voix aérienne, celle de Déborah.

Il n'y eut pas de réponse, et la nuit se referma sur cette question d'enfant.

IIᵉ PARTIE
LA FUREUR DE DIEU

CHAPITRE 4
NOÉ

Le ciel, après avoir endossé diverses nuances de gris, s'était chargé de moutons de plus en plus serrés. Noé, la main crispée sur son bâton, alla s'asseoir sur une banquette de la cour en gardant les yeux fixés sur l'horizon. Les nuages étaient encore loin, mais jamais il n'en avait vu d'aussi sombres. À chaque instant, la masse pommelée gagnait du terrain, faisant décliner un peu plus la lumière du jour. Un gigantesque couvercle semblait sur le point de les recouvrir. Le cœur du vieil homme se serra. L'heure était-elle venue ? L'arche était calfatée, la récolte de blé remisée, mais il était loin d'avoir réuni toute la quantité de pois, fèves, dattes, figues, olives, herbes, foin et fruits qu'il aurait désirée. Quant aux animaux, rien n'était fait. L'Éternel était-Il donc si pressé ? Il étouffa un hoquet. Dieu avait été sourd à ses prières ; Il n'avait pas différé Ses intentions ! Désormais, nul espoir n'était possible !

Les nuages épais cachèrent alors le soleil et il fit nuit en pleine journée. Le chef de la tribu entendit des cris et les bêlements lointains des chèvres et des moutons que l'on ramenait à la hâte. Dans le hameau, on se préparait à affronter un orage. Un orage violent, mais un simple orage.

– Oh, mon Dieu ! s'exclama Noé en pensant à l'immensité de la tâche qui l'attendait. Je suis Ton serviteur et je ferai selon Tes volontés, mais je suis vieux, fatigué, et mon cœur vacille à l'idée de ne pas être à la hauteur de Tes attentes ! Je T'en supplie, aide-moi !

Des larmes coulèrent le long des sillons creusés dans son visage par les rides. Peu à peu, le vieil homme sentit sa peur s'apaiser. L'Éternel l'avait entendu, Il répandait la paix en lui.

Autour de lui, toute la tribu, revenue du champ ou de la rivière, s'agitait dans une joyeuse fébrilité. Les orages étaient peu fréquents, mais bienvenus. L'eau était si rare ! Seules Déborah et Noémi, recroquevillées dans un coin, semblaient inquiètes devant la noirceur du ciel. « N'y a-t-il plus que les enfants pour être clairvoyants en ce monde ? » s'interrogea douloureusement Noé.

Il était désormais temps d'agir. Il héla sa compagne, qui éparpillait précipitamment dans la cour des récipients destinés à recueillir l'eau.

– Naama, ma femme, écoute-moi, j'ai besoin de ton aide. Toi et les femmes de nos garçons, vous allez porter à l'arche toute la nourriture et les ustensiles dont nous disposons, sans rien omettre…

Sa compagne le regarda d'un air incrédule.

– Pourquoi veux-tu que nous fassions une chose pareille ?

– Parce que nous allons emménager dans l'arche.

– Ah non ! Ça suffit comme ça, les folies ! J'ai plus important à faire, avec l'orage qui approche, protesta la vieille femme en faisant mine de s'éloigner.

– Il n'y a pas plus important, Naama, reprit Noé d'une voix éraillée. Si tu veux que nous sauvions notre famille, obéis-moi.

Elle s'arrêta et le scruta avec attention.

– Que veux-tu dire ?

– Que l'heure est arrivée où la colère de Dieu va s'abattre sur la terre. Te souviens-tu du jour où je t'ai annoncé que Dieu m'avait parlé ?

– Oui, je m'en souviens. Tu avais eu un coup de chaud en revenant de chez Élisour et tu te sentais défaillant.

– Mon état n'avait rien à voir avec la chaleur. Ce jour-là, l'Éternel m'a prévenu de Sa volonté de faire disparaître cette terre sous les eaux et de détruire toute chair animée d'un souffle de vie, du plus petit insecte jusqu'à l'homme.

– Tu as rêvé, Noé ! Pourquoi Dieu ferait-Il une telle chose ?

– Parce que Ses créatures se sont répandues en mauvaises actions, et que, par leur méchanceté, elles ont corrompu la terre.

Naama secoua la tête.

– Dieu ne peut vouloir détruire Sa création. C'est impossible !

– Regarde le ciel, Naama, et réfléchis bien. Nous n'avons guère le temps de débattre. Me fais-tu confiance, une dernière fois ?

À cet instant, comme pour souligner les propos de Noé, un coup de tonnerre retentit, si violent que les fondations mêmes de la terre semblèrent s'ébranler. La vieille femme tituba.

– Mais alors, qu'allons-nous devenir ? gémit-elle.

Noé prit la main de son épouse et la serra. Comme le poids qui lui pesait sur le cœur s'était allégé maintenant qu'il le partageait avec sa compagne de toujours !

– Dieu a décidé de nous épargner, Naama. Il a conclu un pacte avec moi et m'a demandé de construire une arche en bois de cyprès et de la remplir de nourriture.

C'est ce que j'ai fait. Et maintenant que l'heure est venue, je dois y faire entrer ma famille, toi, ma femme, et aussi mes fils et leurs épouses, ainsi qu'un couple de chaque espèce d'êtres vivants, pour perpétuer la vie.

– Un couple de chaque espèce ! Il faut réunir un mâle et une femelle de tous les animaux ?

– Oui, confirma Noé, il en faudra même davantage pour les animaux purs, ceux dont le sacrifice* plaît à Dieu.

– Mais comment faire ?

– C'est ce à quoi j'ai longtemps réfléchi, sans trouver la solution. Je vais déjà commencer à conduire dans l'arche les animaux que nous avons sous la main, nous verrons ensuite. Toi, occupe-toi de faire ce que je t'ai demandé.

Tandis que Naama s'éloignait d'un pas pressé, un éclair fendit le ciel et une goutte d'eau tomba sur la joue de Noé. Le temps pressait. D'une voix ferme, il appela Sem, Cham et Japhet.

– Mes fils, il est l'heure de nous réfugier dans l'arche, dit-il.

Les trois hommes acquiescèrent d'un signe de tête. Ils n'ignoraient rien du terrible dessein de Dieu. Noé le leur avait révélé dans le clair-obscur des forêts de cyprès, en échange de leur silence.

– Japhet, tu choisiras quelques mâles et femelles parmi les chèvres et les moutons. Cham, tu feras de même avec les bœufs, et Sem avec les poules, les tourterelles et les pigeons. Nous nous retrouverons à l'arche dès que possible.

Une fine pluie s'était mise à tomber, trop fine au regard du vacarme qui maintenant les assourdissait. L'avertissement de Dieu était clair, il fallait se hâter. Entre deux roulements de tonnerre, Noé entendit sa femme, qui descendait à la rivière encadrée par ses petites-filles, dire d'un ton entraînant :

– Mais si, vous allez voir ! Cela va être très amusant ! Nous allons faire une belle maison dans l'arche et nous inventerons une foule de nouveaux jeux pour nous distraire !

« Courageuse Naama ! » pensa Noé en les regardant disparaître dans la pente.

CHAPITRE 5
DÉBORAH

Au-dessus de leur tête, les coups de tonnerre, toujours plus sonores, s'enchaînaient en cascade et Noémi poussait de petits cris terrifiés. Déborah, elle, s'agrippait à la main de sa grand-mère qui les tirait sur le sentier. Par instants, un éclair déchirait l'obscurité, et la terre s'illuminait alors d'une lueur blanchâtre plus terrible encore que la pénombre. « Si Savta n'a pas peur, c'est que tout va bien aller », se répétait la jeune fille pour se rassurer. Le petit groupe s'arrêta en haletant devant la porte de l'arche, et Déborah se sentit pleine d'appréhension à l'idée de pénétrer dans ce lieu dépourvu d'odeurs familières et noir comme le fond d'un puits. Mais Noé surgit, une lampe à huile dans chaque main, et il les entraîna sans attendre à l'intérieur. Une fois qu'ils eurent gagné le niveau le plus élevé et parcouru un long couloir, le vieil homme s'arrêta devant une cellule fermée sur trois côtés.

– Surtout, ne bougez pas d'ici, leur recommanda-t-il avant de les quitter.

La grand-mère et ses deux petites-filles se retrouvèrent seules, juste éclairées par la lampe que Noé avait fixée à un crochet du plafond.

– Allons, ne restons pas les bras ballants, dit Naama d'un ton qui se voulait enjoué, en montrant une meule de paille.

Tandis que les fillettes aidaient leur grand-mère à répandre la paille sur le sol, leur mère et leurs tantes arrivaient les unes après les autres, chargées de couvertures, d'ustensiles de cuisine et d'objets de toutes sortes. Il fallut ensuite étendre les peaux, disposer les couvertures, ranger les outils de filage et de tissage, tant et si bien que Déborah prit peu à peu confiance. C'était vraiment amusant, d'installer un nouveau foyer ! Et puis, la flamme de la lampe à huile avait beau être tremblotante, elle était mille fois plus rassurante que la lueur blafarde des éclairs. Même les coups de tonnerre paraissaient moins effrayants dans le ventre de l'arche. Dans une cellule avoisinante, sa mère et ses tantes s'affairaient à entreposer la nourriture et des étages inférieurs lui parvenaient les voix apaisantes de son père et de ses oncles.

Déborah, décidément plus à son aise, entreprit d'explorer les alentours. Un long couloir distribuait quantité de petites pièces similaires à celle où elles s'étaient installées.

Dès qu'elle s'éloigna de la flamme, l'obscurité devint dense, inquiétante, mais aiguillonnée par le souvenir de Moushi et de son aisance dans le noir, elle fit courageusement quelques pas. Sous ses pieds, les planches rugueuses et solides dégageaient une agréable odeur de résineux. Elle s'enhardit encore et eut la satisfaction de découvrir au bout du couloir une ouverture étroite et longue ménagée dans la paroi et qui donnait sur l'extérieur. Celle-ci était trop haute pour que la fillette pût apercevoir autre chose, dans la grisaille, que le sommet du peuplier qui ombrageait la rivière, et elle fit demi-tour. À cet instant, une première secousse puis une seconde firent trembler l'arche. Le pouls de Déborah s'accéléra : que s'était-il passé ? Les chocs provenaient de l'arche même, non du dehors ! Elle baissa la tête et remarqua qu'une fissure entre deux lames de bois permettait de voir l'étage inférieur. Elle se coucha sur le sol et colla son œil contre la fente.

– Ça alors ! s'exclama-t-elle.

De là où elle se trouvait, la jeune fille pouvait très

clairement apercevoir Japhet, une lampe à huile à la main, guider deux étranges animaux dans le couloir du deuxième étage. Jamais Déborah n'en avait vu de pareils ! Ils n'étaient guère plus grands que des ânes, mais les branches qui poussaient entre leurs oreilles leur donnaient un aspect bien plus effrayant ! À peine s'était-elle remise de son étonnement qu'elle vit son père apparaître à la tête de deux quadrupèdes à la robe alternativement blanche et noire. « Dieu a hésité sur la couleur qu'il fallait donner à ces animaux », s'amusa Déborah, avant de remarquer le couple de petits singes qu'ils portaient sur leur dos. Elle rit en voyant leurs visages écarlates agités de mimiques. La voix de sa mère résonna alors, chargée d'angoisse :

– Déborah ! Où es-tu ?

– Je suis là, maman, juste à côté, ne crains rien !

La jeune fille, fascinée, ne pouvait quitter son poste d'observation. De nouvelles bêtes passaient dans son champ de vision, tantôt lentes comme ce couple couvert d'épines bien plus longues que celles des hérissons, tantôt bondissantes à la manière de ces étranges créatures qui se propulsaient sur leurs pattes arrière. Quand deux énormes volatiles munis d'un long cou et se dandinant sur deux pattes leur succédèrent, la fille aînée de Cham n'y tint plus. Elle sauta sur ses pieds pour courir vers les femmes réunies autour de la lampe.

– Maman, Noémi, cria-t-elle, il faut que vous veniez

voir, des animaux extraordinaires entrent dans l'arche !

Mais à ce même instant se produisit quelque chose de stupéfiant : un courant d'air se propagea dans le couloir, suivi peu après d'un vibrant bruissement. Dans la demi-obscurité, Déborah sentit plus qu'elle ne vit les oiseaux qui passaient au-dessus de sa tête. Ils arrivaient en vols serrés, les petits comme les grands, et ils étaient plus nombreux qu'il n'était possible de l'imaginer. Un frou-frou d'ailes indiqua bientôt que les premiers arrivés se posaient au fond de l'arche, près de la fenêtre découverte par la fillette. Les oiseaux continuèrent d'affluer pendant un temps interminable. Quand un paisible gazouillement eut enfin succédé à l'agitation de l'arrivée, les femmes de la tribu s'approchèrent prudemment. Des centaines de becs se tournèrent vers elles. Le plus grand calme régnait désormais et les volatiles, tous en couple, étaient impeccablement alignés, si serrés sur les battants séparant les cellules que même un oiseau-mouche n'aurait trouvé à se faufiler entre eux. À ce que Déborah pouvait voir, il y avait des flamants roses, des ibis, des oies et des canards, des vautours, des hirondelles, mais aussi un grand nombre d'oiseaux qu'elle n'aurait su nommer, certains au plumage multicolore ou au contraire plus blanc que le lait, d'autres pourvus de serres puissantes, de longues échasses ou de crêtes hérissées vers le ciel. Deux oiseaux s'étaient même accrochés au plafond par les pattes, tête en bas, et les fixaient de leurs yeux rouges et clignotants. Soudain, une petite boule de plumes bleues et beiges vint se poser sur la tête de Noémi, qui battit des mains de joie. Les femmes éclatèrent en chœur d'un rire soulagé.

– Ils ne semblent pas effrayés par notre présence, s'extasia Naama.

Déborah se souvint des propos de son grand-père sur le jardin de son ancêtre Adam, où les bêtes vivaient en paix avec l'homme. Quel endroit merveilleux cela avait dû être !

– Ils sont venus de leur plein gré, après tout, fit remarquer la femme de Sem.

– Ces oiseaux ont surtout répondu à l'appel de Dieu ! nuança Naama. Et c'est une chance, car il nous aurait été impossible de tous les attirer ici.

– Que veux-tu dire par « tous », Savta ? la questionna Déborah, intriguée.

– L'arche doit accueillir un couple de chaque espèce animale habitant la terre, et pas une ne doit manquer.

Les yeux de la jeune fille s'illuminèrent. Quelle excitation ! Savta avait eu bien raison de les entraîner dans l'arche, les jeux y étaient tout simplement exceptionnels ! Son regard se perdit de nouveau parmi les rangées d'oiseaux. Comme leur diversité illustrait la puissance de l'Éternel ! Une pensée traversa subitement son esprit.

S'il fallait des représentants de chaque espèce animale dans l'arche, son amie l'araignée devait en faire partie ! Elle l'avait vue le matin même à sa place habituelle, dans un coin de la fenêtre.

– Maman, est-ce que je peux aller chercher quelque chose à la maison ? demanda Déborah.

– À la maison ? Non, ma chérie, il pleut trop fort.

– Ce n'est pas vrai !

– Déborah, ne conteste pas, il est hors de question de sortir maintenant, répéta fermement sa mère. Tiens-toi un peu tranquille.

La jeune fille s'assit dans un coin, boudeuse. L'ennui la gagna rapidement. « Ce serait drôlement plus amusant si Moushi était là », pensa-t-elle. Une nouvelle idée lui vint : courir jusqu'à la maison, attraper son araignée, puis aller chercher son ami ne serait guère long. Et dans cette obscurité, personne ne se rendrait compte de sa disparition ! Elle s'étendit dans un coin sombre et dit d'une voix lasse :

– Je suis tellement fatiguée. Je vais dormir un peu…

Pour donner le change, elle resta quelques instants immobile avant de ramper vers le couloir et de filer vers le niveau inférieur en suivant à tâtons la cloison. Sa progression était lente, car elle devait prendre garde à ne pas écraser les petits animaux qui arrivaient en sens inverse. Elle recula même en entendant le sifflement d'un serpent. Puis elle se rappela l'attitude amicale des oiseaux et poursuivit son avancée plus tranquillement. Elle traversa l'étage le plus bas avec prudence : dans les cellules, elle pouvait discerner des animaux d'une taille immense, comme ces gigantesques créatures grises qui agitaient une sorte de bras situé à la place du nez. « Pas étonnant que l'arche ait tremblé au moment de leur arrivée », se fit-elle la réflexion. Mais une nouvelle difficulté l'attendait à l'entrée du bâtiment. Noé s'y tenait, barrant le passage. Le vieil homme accueillait chaque couple d'animaux afin de les diriger vers l'emplacement qu'il avait choisi. Déborah savait que son grand-père ne la laisserait pas sortir, aussi se tapit-elle en attendant l'occasion de pouvoir s'échapper discrètement. L'apparition de deux lions créa un trouble favorable à son évasion.

À l'extérieur, la pluie fine s'était transformée en averse, et Déborah dérapa à plusieurs reprises dans le sentier boueux, qu'elle eut le plus grand mal à gravir. En parvenant trempée et maculée de terre dans sa maison désolée, elle eut un bref moment de découragement. Par chance, l'araignée n'avait pas bougé de sa place et s'en saisir fut l'affaire d'un instant. Puis elle se hâta vers la demeure de leurs voisins.

Élisour, Sérouah et Moushi étaient, comme elle s'y attendait, réfugiés dans leur maison. Déborah connaissait l'existence d'une porte à l'arrière, et elle l'ouvrit silencieusement. Si le vieux couple ne s'aperçut de rien, il n'en fut pas de même pour Moushi, qui tourna ses yeux vides vers elle. Elle fit leur signe de reconnaissance – un claquement de langue – et un sourire se dessina sur le visage de son ami.

Il se leva et sortit par la porte principale. Déborah le rejoignit à l'extérieur et ils s'abritèrent sous un petit auvent formé par le toit.

– Que fais-tu ici par un temps pareil ! s'exclama Moushi. La terre est toute chamboulée et jamais je n'ai senti les animaux aussi effrayés !

– Je suis venue te chercher pour t'emmener dans l'arche. Toute la tribu s'y est installée, c'est vraiment amusant ! En plus, on pourra y jouer à égalité ; dedans, il fait aussi noir que dans un terrier !

– Tu es folle ! Moi, je ne bouge pas d'ici avec ces trombes d'eau qui dégringolent du ciel !

– Ah, le peureux ! Et si je te disais que tous les animaux du monde sont en train de monter dans l'arche ?

– Quoi ?

– Tu m'as bien entendue. Des bêtes incroyables arrivent de tous les côtés. C'est une cacophonie de piaillements, de cris, de mugissements que tu ne peux imaginer sans venir t'en rendre compte par toi-même.

Ce dernier argument sembla porter. Moushi fit un signe de tête, et l'instant d'après les deux enfants étaient en route.

En arrivant près de la rivière, Déborah découvrit avec étonnement qu'une longue colonne d'animaux patientait pour entrer dans l'arche.

– Il va falloir se faire tout petit, dit la fillette. Saba n'est pas au courant que je suis sortie.

– Tu n'aurais pas pu me le dire avant ? grommela Moushi.

– Ça va aller, je te promets, répondit-elle avec plus d'assurance qu'elle n'en ressentait vraiment.

Elle avisa alors un couple d'hippopotames qui allait bientôt se présenter devant Noé. Elle tira son ami en avant.

– Viens, j'ai une idée !

Ils se cachèrent derrière le flanc de la femelle et avancèrent à son pas. Ils étaient sur le point de franchir la rampe sans encombre, quand, patatras ! Moushi tituba et s'affala de tout son long. Tandis que Déborah l'aidait à se relever, Noé surgit devant eux. En voyant le fils d'Élisour, le vieil homme leva ses bras en l'air.

– ARRIÈRE ! cria-t-il.

Comme il était impressionnant, dans les éclairs, avec ses grandes manches déployées, sa longue barbe blanche et ses gros sourcils froncés !

– ARRIÈRE ! répéta-t-il au garçon. Tu n'as rien à faire ici !

– Saba, Moushi n'a rien fait de mal. C'est moi qui

ai eu l'idée de l'amener ici pour jouer, plaida Déborah en tremblant.

Mais son grand-père ne prit pas même la peine de lui répondre. D'un geste, il la poussa vers l'intérieur, puis désigna Moushi de son index.

– Japhet, ramène cet enfant à ses parents, ordonna-t-il.

Déborah vit alors son ami, sous la pluie, tourner son visage de tous côtés comme s'il la cherchait. Elle n'eut pas le courage de lui parler et elle regagna la cellule familiale en retenant ses larmes. Par chance, personne là-haut ne s'était rendu compte de son absence et elle put sangloter dans un coin en pensant à la déception de Moushi et à l'humiliation que lui avait infligée Noé. « Méchant Saba, je te déteste, se disait-elle, tu es vraiment trop méchant ! » Puis elle se souvint de son araignée et la chercha sous sa tunique. Elle fut heureuse de la retrouver et, un peu calmée, elle troqua sa tunique trempée contre une épaisse peau de mouton. Épuisée par sa course, bien au chaud sous l'odorante toison, elle s'endormit rapidement.

Combien de temps demeura-t-elle ainsi assoupie, cela resterait un mystère. Elle fut tirée de son somme par un grincement strident, suivi de la voix de Naama qui disait :

– Ils ont fermé la porte.

Déborah replongea dans un sommeil confus, hanté de cauchemars. Moushi la frappait avec un bâton tout en la retenant par le poignet. Les yeux ordinairement laiteux du garçon avaient viré au rouge et brillaient comme deux pierres précieuses. Elle cria et se réveilla complètement. Les hommes avaient maintenant rejoint les femmes dans la cellule et ils devisaient à voix basse. Il ne lui fallut pas longtemps pour percevoir que quelque chose avait changé. L'impression se précisa peu à peu : l'arche était instable ! Alors qu'elle cherchait à comprendre ce qui se passait, un pressentiment la saisit et elle se leva pour aller jusqu'à la fenêtre. Dans l'embrasure, le peuplier avait disparu. L'arche s'était donc déplacée ! À cet instant, des appels faibles, mais audibles, lui parvinrent :

– Noé, ouvre-nous ! Prends pitié ou nous mourrons ! implorait Élisour.

Après la voix du voisin, ce fut le timbre aigu de Moushi qu'elle reconnut :

– Déborah, j'ai de l'eau jusqu'aux genoux ! Déborah ! Réponds-moi !

Sa gorge se serra et elle crut que son cœur allait exploser. Elle courut vers Cham.

– Papa ! hurla-t-elle. Les voisins vont se noyer ! Il faut descendre leur ouvrir !

Cham et les autres tournèrent alors vers elle des yeux emplis de tristesse et de fatalité. Atterrée, elle comprit que personne ne bougerait. Sa mère lui tendit les bras en disant :

– Nous ne pouvons rien pour eux.

– Telle est la volonté de Dieu, ajouta Noé.

Alors, Déborah fut prise de vertige et elle s'effondra au sol, sans connaissance.

CHAPITRE 6
JAPHET

*L*e ciel déversait ses tombereaux d'eau sur la terre et l'arche lourdement chargée ballottait sur les flots noirs. Dans l'immensité du monde, les lumières des hommes disparaissaient peu à peu. Le flic-floc de la pluie remplaçait désormais la rumeur des êtres vivants.

Une odeur infâme s'échappait d'une cellule, et Japhet tendit le bras pour l'éclairer de sa lampe. Les petits museaux blancs des putois se tournèrent vers lui. Tout était calme, les martres, belettes, hermines et autres petits carnassiers à fourrure qui leur tenaient compagnie ne paraissaient pas affectés par la puanteur. Allongés sur le flanc, ils sommeillaient.

Une fois de plus, le fils cadet de Noé s'émerveilla de la sérénité dont faisaient preuve les animaux. Depuis déjà des jours, ils étaient entassés dans les ténèbres, secoués comme des lentilles dans un pot, et pas une marque d'agressivité ne leur avait échappé ! Plus remarquable encore, proies et prédateurs se côtoyaient sans que cela pose de problème. Alors même que tous étaient nourris avec une telle frugalité que l'on commençait à discerner leurs côtes ! Seule l'eau ne manquait pas, grâce aux astucieux orifices que Noé avait prévus dans le toit et qui permettaient de récupérer la pluie dans des vasques.

Japhet reprit sa ronde, le corps ployant du côté du panier empli de nourriture. Oui, les animaux étaient vraiment extraordinaires ! Certes, de nombreuses bêtes dormaient le plus clair de leur temps, aidées en cela par l'obscurité, mais bien d'autres encore restaient éveillées, et aussi immobiles que le permettait le roulis de l'embarcation. À croire qu'elles comprenaient la gravité de la situation ! À bien des égards, elles se montraient plus sages que les hommes…

Soudain, un bruit confus attira son attention. Il éclaira les lieux et découvrit qu'une tortue géante s'était retournée sur le dos et remuait vainement des pattes. Japhet se hâta à l'intérieur de la petite pièce et tenta de redresser la bête, mais elle pesait plus lourd qu'un bloc de pierre et il partit chercher de l'aide. À l'étage supérieur, le clan familial était plongé dans l'hébétude ; il en était ainsi depuis que l'arche dérivait. Japhet jeta un coup d'œil sur son père. Il n'avait toujours pas bougé, comme statufié. Pourquoi se conduisait-il de cette manière au moment où sa famille aurait eu le plus besoin de ses encouragements ! À commencer par lui, Japhet... Par instants, ce qu'il vivait lui semblait irréel, mais à d'autres, les faits s'imposaient. Alors, il se sentait envahi par un froid immense : leur vallée, leur champ, leur troupeau, leur maison, ils avaient tout perdu ! Comment Dieu avait-Il pu se montrer si cruel ?

Un léger ronflement émanait de la petite silhouette de Déborah. Son sommeil semblait agité. Pauvre fillette ! Ses yeux étaient rouges tant elle avait pleuré : elle n'avait pas supporté la perte des voisins. Elle se mit brusquement à gesticuler en parlant : « Dépêche-toi, Moushi... par là... cache-toi sous l'eau... mais remonte... où es-tu... » Elle se débattit un moment sur sa couche puis redevint immobile.

À cet instant, Sem apparut dans le couloir. Il était en effet chargé de s'occuper des animaux de l'étage où demeuraient, non loin des oiseaux, tous les insectes et les petites bêtes à poil et à plume.

– J'ai besoin de ton aide, Sem, dit Japhet.

– Tu tombes bien, moi aussi !

Son frère aîné l'entraîna un peu plus loin et désigna deux boules de piquants.

– Ces hérissons n'ont rien voulu manger depuis leur arrivée ici, expliqua-t-il. J'ai tout essayé, des herbes, des graines, des fruits, des œufs de caille… ils n'acceptent rien ! Et j'ai une quantité de bestioles comme ça ! C'est à désespérer !

– Allons, ne perds pas patience. Notre tâche est difficile, mais, en dix jours, nous n'avons pas eu un seul décès à déplorer, le réconforta Japhet en disposant de la mousse devant les hérissons.

– Comment sais-tu que cela fait tant de jours que nous sommes partis, en l'absence de soleil ? s'exclama Sem, décidément mal luné.

– Ne m'as-tu pas dit que ta poule pondait un œuf par jour ? répondit sans se fâcher le frère cadet. Et n'ai-je pas vu dix œufs passer dans le panier ?

Sem baissa la tête, un peu honteux.

– Excuse-moi, Japhet, tu es plus observateur que moi…

– C'est juste que je suis plus impatient, s'amusa Japhet. Père nous a annoncé quarante jours et quarante nuits de déluge*, et j'espère bien qu'il ne se trompe pas, car je n'en supporterai pas un de plus. Bon, la mousse non plus, cela ne leur dit rien, constata-t-il en jetant un coup d'œil sur les hérissons. Essayons autre chose.

Joignant le geste à la parole, il posa une grenade devant eux. Les deux frères attendirent avec espoir. Tout à coup, le museau d'un des animaux surgit et se rapprocha du fruit. L'instant d'après, il attaquait la grenade de ses minuscules dents.

– Tu as visé juste ! se réjouit Sem.

– Oui, mais regarde... ce n'est pas le fruit qu'il mange, mais le ver qui était à l'intérieur. Voilà ce qu'il aime ! Tu n'auras qu'à laisser moisir du son pour obtenir des vers blancs.

– Au moins, c'est simple, dit Sem avec soulagement. Bon, maintenant je te suis.

En chemin, Japhet remarqua que des coassements endiablés provenaient du coin des grenouilles.

– En voilà qui ont l'air de se plaire ici ! dit Japhet en jetant un regard interrogateur à son frère.

– Oui, et je ne suis pas peu fier de mon installation.

Sem éclaira alors le roseau qui, placé à l'embouchure d'un des orifices du toit, faisait s'écouler l'eau vers une grande vasque remplie de batraciens.

– J'ai réduit le débit du roseau en le bourrant de feuilles, pour que l'arrosage soit constant mais faible.

– Eh, tu vois que tu sais aussi y faire ! siffla Japhet, admiratif. Tiens, celle-là te ressemble quand tu t'énerves ! ajouta-t-il en désignant une rainette à la gorge gonflée.

Sem laissa échapper un rire qui résonna étrangement dans les couloirs sombres de l'arche. Un peu déroutés, ils se turent et se rendirent auprès de la malheureuse tortue, qu'ils eurent bientôt remise sur ses pattes. Elle semblait affaiblie et Japhet disposa de l'eau et des herbes à côté d'elle. Avant de la quitter, il lui gratta la tête, ce à quoi la bête répondit par de brefs petits coups du chef.

– C'est sa manière de faire des câlins, rit Japhet.

– Décidément, s'exclama Sem, tu es doué pour t'occuper des bêtes ! Tu serais capable de te lier d'amitié avec un mérou !

À ces mots, le cadet des fils de Noé redevint sérieux.

– Crois-tu que les poissons survivront à cette catastrophe ? s'interrogea-t-il.

– Savons-nous même si *nous* survivrons ? répondit Sem d'un ton glacial.

Les échanges qui suivirent au cours de cette période ne furent guère plus joyeux. Le temps sembla se dissoudre dans la pénombre et l'incertitude. Les esprits étaient à la dérive, à l'image de l'embarcation. Nul ne pouvait imaginer la fin de cette nuit et du crépitement que faisait la pluie en tombant au-dessus de leurs têtes.

Japhet, quant à lui, dormait peu, attentif aux bruits des animaux et aux craquements de l'arche. Quoiqu'ils se fussent réparti les étages entre frères, c'était lui que l'on consultait dès qu'une bête était mal en point. Pourtant, il ne pouvait souvent pas grand-chose pour elle et devait se contenter de lui fournir un peu d'affection. Chaque jour, il se rendait à la fenêtre, seule ouverture sur le monde extérieur et chaque jour, il en ôtait le panneau avec espoir. Mais le temps passait, et l'épais rideau de pluie occultant toute vision et toute lumière refusait de se lever. Enfin, alors que Japhet avait compté trente-trois œufs, Noé sortit de son silence. Ses premiers mots furent une prière, énoncée avec la voix mal assurée de celui qui n'a pas parlé depuis longtemps.

– Ô Seigneur, viens-nous en aide, car nous ne pouvons pas supporter le mal qui nous frappe. Les vagues nous secouent et la mort nous guette. Entends notre supplique et sois miséricordieux !

Après ces quelques phrases, Noé retomba dans sa léthargie. Mais celle-ci ne se prolongea guère : peu de temps après, il ouvrit des yeux brillants et posa un regard perçant sur le cercle de sa famille. On aurait dit qu'il émergeait d'un long cauchemar.

– Mes enfants, dit-il alors avec fermeté, j'ai failli. J'ai cru que nous étions abandonnés par Dieu. Je sais maintenant que je me trompais.

Ses descendants le regardaient avec une avide curiosité : quelle révélation le chef de la tribu avait-il à faire ?

– Cette arche est un sanctuaire[1] que Dieu a conçu pour nous protéger, reprit Noé avec ferveur, et le moment est proche où nous pourrons le quitter pour construire un monde nouveau. Car c'est dans cette intention qu'Il nous a épargnés. Allons, prions ensemble l'Éternel !

Autour de lui, tous restaient muets, comme réticents à partager son optimisme. Ses encouragements arrivaient bien tard… Le vieil homme scruta un à un les membres de sa tribu et sa voix se fit plus douce :

– Je sais que l'épreuve que nous traversons est dure. Je sais aussi qu'il est difficile d'accepter la punition de Dieu. Plus rien ne sera comme avant. Mais voyez ce qu'était devenue notre terre ! Les méchants s'y reproduisaient plus vite que les mauvaises herbes ! Dieu a été patient : n'a-t-Il pas vu dix générations d'hommes se comporter de manière inique avant de les frapper ?

Cham prit alors la parole :

– Je t'entends, père, mais tes paroles ne parviennent pas à apaiser mon cœur. Hadad et Nabal, personne ne les regrettera. Même Élisour était faible et lâche. Mais que dire de Sérouah ? Et de Moushi ? Comment Dieu a-t-Il pu infliger la même punition à tous les hommes, sans tenir compte de leurs actes ?

---

1. *Lieu saint, édifice religieux.*

Japhet remarqua que Déborah avait relevé la tête et écoutait avec attention la conversation. Noé réfléchit et dit :

– Nul n'était innocent, mon fils. Sérouah a laissé, autant qu'Élisour, la gangrène du mal se répandre autour d'elle. Quant à Moushi, livré à une famille et à un monde sans règles, comment peux-tu espérer qu'il se serait bonifié ? Ne vous méprenez pas : j'aurais aimé sauver nos amis, malgré leurs défauts. Mais la décision de l'Éternel était irrévocable. Ils devaient périr.

Un sanglot déchira alors la nuit.

IIIᵉ PARTIE
UN NOUVEAU MONDE

CHAPITRE 7
SEM

Les jours s'écoulaient, mais l'intensité des eaux, loin de céder, ne faisait que redoubler. Les plus hautes montagnes étaient submergées et les derniers rivages avaient disparu. On n'entendait plus que la colère de Dieu et le clapot des vagues.

Sem saisit l'œuf avec délicatesse et l'apporta à Japhet. Les deux frères se regardèrent avec un air entendu : c'était le quarantième pondu par la poule. Ils s'approchèrent de la fenêtre, retirèrent le panneau de bois et regardèrent au-dehors. La pluie ruisselait encore et toujours, et le brouillard formé par l'opaque rideau gris semblait destiné à ne jamais disparaître.

– Et s'il ne se passait rien ? chuchota Sem, conscient de proférer un blasphème[1], tant Noé avait l'air sûr de lui.

Japhet haussa les épaules. Il n'y avait quasiment plus de nourriture dans l'arche, la conclusion se tirait d'elle-même. Ils refermèrent la fenêtre et, démoralisés, regagnèrent la cellule familiale.

La petite Noémi faisait des galipettes sur les peaux de laine qu'on avait dû déplacer à la suite de fuites dans le toit. Soudain, elle s'arrêta, tête en bas et fesses en l'air, et ne bougea plus.

– Y pleut plus, dit-elle dans cette position.

Les deux frères levèrent la tête avec un air abasourdi : le martèlement de l'eau sur le toit avait effectivement cessé ! Ils retournèrent en courant vers la fenêtre et ôtèrent précipitamment le panneau de bois. Le spectacle qu'ils découvrirent les laissa muets de surprise : le rideau de pluie s'était déchiré, dévoilant un infini d'eau grise et plate. Le fils aîné de Noé scruta l'horizon. Rien. Nulle terre n'apparaissait. Ils étaient seuls sur cette immensité liquide !

À cet instant, un rayon de soleil argenta la mer et Japhet poussa un ululement de joie. Les frères

---

1. *Parole qui outrage une divinité ou une religion.*

s'étreignirent et appelèrent le reste du clan. Bientôt, tout le monde fut assemblé devant l'ouverture, hormis Déborah, qui avait refusé de se lever. Chacun se frottait les yeux, sans trop oser croire à la scène qu'il avait devant les yeux. Les exclamations de surprise, les interrogations fusaient. Mais l'espoir était à nouveau dans les cœurs. Si le soleil revenait, l'eau s'évaporerait et la terre réapparaîtrait ! Ils pourraient alors quitter l'arche. Noémi, juchée sur les épaules de son père, participait à l'ébahissement général.

– On va bientôt rentrer à la maison ? dit-elle subitement de sa petite voix d'enfant.

– On va s'en construire une nouvelle, bien plus belle, répondit sa mère, un sanglot dans la gorge.

Quand l'émotion se fut un peu calmée, le chef de la tribu s'approcha des rangées d'oiseaux et tendit la main. Alors, un corbeau déploya ses ailes avec maladresse et se posa sur son poing. Noé le porta jusqu'à l'embrasure, et le volatile, après un moment d'hésitation, s'élança dans le ciel bleu.

Neuf paires d'yeux suivirent son vol jusqu'à ce qu'il ne fût plus qu'un point à l'horizon.

Jamais le temps sur l'arche ne s'écoula aussi lentement que ce jour-là. Tous espéraient que le corbeau trouverait une terre émergée et ne reviendrait pas. Mais des battements d'ailes, le soir même, leur signalèrent son retour. Noé ne se découragea pas. Le lendemain matin, il attrapa une colombe et la lâcha hors de l'embarcation. L'attente reprit. Malheureusement, l'oiseau blanc, comme le noir, regagna l'arche après une journée de vol.

– Allons, il est trop tôt. Il faudra se montrer encore un peu patient, dit le vieil homme.

Désormais, il allait tous les jours à la fenêtre pour voir si la décrue s'amorçait. Sem, à ses côtés, se désespérait silencieusement de ne voir apparaître ni arbre ni même montagne.

Un beau matin, sept jours après la première sortie de la colombe, Japhet s'adressa à Noé d'une voix étranglée :

– Que dois-je faire ? implora-t-il. J'ai distribué les dernières graines et les derniers ballots de fourrage. Nous n'avons plus de nourriture ni pour nous ni pour les animaux. Même l'eau est presque tarie !

Il vit son père se lever et se rendre auprès des oiseaux.

– J'ai lâché de nouveau la colombe. Ce soir, nous saurons, annonça-t-il en revenant.

Toute la journée, chacun surveilla du coin de l'œil l'embrasure qui laissait désormais entrer des flots de lumière. Sem ne tenait pas en place, malgré son ventre creux et ses jambes faibles. Il ne parvenait pas à chasser ses sombres pensées. Pouvaient-ils avoir traversé toutes ces épreuves pour mourir de faim et de soif au moment où le monde semblait en passe de renaître ?

Aussi, quand il vit se profiler, le soir même, la silhouette de la colombe dans l'embrasure de la fenêtre, fut-il saisi par un abattement terrible. Le retour de l'oiseau accabla également les membres de la famille, et Naama se coucha avec l'attitude de celle qui ne va pas se relever. Ce fut Japhet qui, finalement, trouva la force d'aller accueillir la colombe.

– Regardez, regardez ce qu'elle tenait dans son bec ! hurla-t-il soudain. Un rameau tout frais d'olivier ! La terre a émergé !

Il revint à la hâte et agita la brindille sous les yeux médusés de la petite communauté.

– Dieu soit loué, soupira Noé avec soulagement.

Et leurs voix à tous s'unirent pour remercier l'Éternel de Sa bienveillance.

Pourtant, malgré cette bonne nouvelle, l'arche restait ballottée et en proie aux courants. Tous attendaient, affamés et épuisés, la fin de leur calvaire. Déborah avait dû perdre la moitié de son poids, et même l'infatigable Noémi ne bougeait plus. Sem, affligé de voir ses nièces dans cet état, réunit Cham et Japhet.

– Et si nous allions traire les femelles de l'arche ? leur suggéra-t-il. Peut-être trouverons-nous un peu de lait, du moins de quoi nourrir tes filles, Cham ?

Celui-ci l'étreignit avec reconnaissance.

– Merci, mon frère, c'est une excellente idée. Qu'en penses-tu, Japhet ?

Le plus jeune fils de Noé, après un moment de réflexion, opina du chef.

– Je ne sais pas si elles se laisseront faire, mais cela vaut la peine d'essayer. Par qui commençons-nous ?

D'un commun accord, ils décidèrent de s'attaquer en premier à l'éléphante. Si jamais elle avait du lait, ce serait en de telles quantités qu'ils pourraient s'abstenir d'en chercher ailleurs.

– Veux-tu venir avec nous, Déborah ? Je peux te porter si tu es trop fatiguée, proposa Sem.

Mais la fillette, pour toute réponse, cacha son visage derrière son coude. Son oncle échangea un regard préoccupé avec Cham. Depuis des semaines, Déborah se désintéressait de tout, et c'était en vain que ses parents la couvraient de leur sollicitude.

Les trois hommes gagnèrent l'étage le plus bas. Les deux pachydermes se dandinaient sur place en agitant leurs oreilles et leur trompe. Leur masse était impressionnante, mais Japhet fit une grimace en découvrant à la lueur de sa lampe leur silhouette efflanquée.

– Ces animaux sont à bout. Je doute que nous trouvions grand-chose dans les mamelles.

Sans autre commentaire, il s'approcha très lentement du plus petit des éléphants. Sem et Cham le laissèrent faire, se contentant d'éclairer ses pas : sans nul doute, Japhet était celui qui avait le plus de chance de réussir dans cette entreprise risquée. Le cadet des frères se mit à parler à l'animal, l'envoûtant de sa voix chaude et apaisante.

– Je ne viens pas pour te faire du mal… disait-il. Je viens seulement te prendre un peu de lait pour nourrir deux enfants qui meurent de faim.

La femelle eut alors un brusque mouvement de recul.

– Prends garde ! s'écria Cham.

– Ne t'inquiète pas, chuchota Japhet. Elle a juste fait apparaître ses mamelles entre ses pattes avant. Passez-moi une jarre !

Cham et Sem entendirent bientôt les ahanements de Japhet qui pressait les mamelles, puis un bruit de jet contre la poterie. Quelques instants plus tard, leur frère réapparut à la lumière, un grand sourire aux lèvres.

– Une jarre entière, ce n'est pas mal, non ? Pourtant, les mamelles étaient loin d'être pleines. Cette femelle doit pouvoir produire trois fois cette quantité ! Tenez, goûtez ce lait, et dites-moi s'il n'est pas délicieux !

Cham et Sem congratulèrent leur frère, et ils remontèrent tous les trois avec leur précieuse cargaison. Sem eut la bonne idée de couper le lait avec de l'eau pour éviter de faire suivre une période de jeûne par une nourriture trop riche. Grâce à cela, personne ne fut malade.

La bonne volonté des animaux et les talents de Japhet leur permirent ainsi de retrouver quelques forces.

Après le lait de l'éléphante, ils goûtèrent successivement à ceux de l'ânesse, de la bufflonne, de la chamelle, de la girafe et de la femelle du renne. Si Japhet se risqua sans dommage auprès de l'ourse, il préféra ne tenter l'expérience ni avec la lionne ni avec la tigresse.

Près de sept nouveaux jours s'étaient encore écoulés, en partie occupés à ces expéditions laitières, lorsque des bruits de raclements indiquèrent que l'embarcation avait touché le sol. L'arche se mit à gémir de manière ininterrompue, et Sem ne put s'empêcher de penser qu'elle était aussi épuisée qu'eux après cette longue traversée. Ses frères et lui se dépêchèrent à la fenêtre, mais l'embrasure leur offrit la même désespérante vision d'océan sans fin.

Noé décida de lâcher de nouveau la colombe, et le volatile prit une fois de plus son envol. Puis, au cours de la nuit, les choses se précipitèrent. Un heurt brutal, suivi d'intenses vibrations dans toute la charpente de l'arche, réveilla toute la famille. Le silence se fit. On eût dit que l'embarcation avait connu son dernier sursaut d'agonisante. À l'aube, Noé et ses fils constatèrent que la colombe n'était pas rentrée. Le chef de la tribu dit :

– Voilà qui est bon signe. Montons sur le toit pour voir ce qu'il en est exactement.

À sa demande, Sem, Cham et Japhet arrachèrent les planches du plafond et hissèrent leur père sur le toit de l'arche, avant d'y monter à leur tour. Un spectacle grandiose les attendait : d'un côté de l'embarcation se dressait un puissant sommet, de l'autre, la décrue dégageait progressivement les flancs d'une immense montagne. Brutalement, Noé tomba sur les genoux, inanimé comme s'il avait reçu un coup à la tête. Ses fils s'empressèrent autour de lui, et le vieil homme revint doucement à lui.

– N'ayez pas d'inquiétude, mes enfants, je vais bien, dit-il d'une voix chevrotante. L'Éternel s'est adressé à moi. Il m'a ordonné de quitter l'arche et de faire sortir tous les animaux, volatiles, quadrupèdes, reptiles…, afin qu'ils pullulent sur la terre et se multiplient.

Le cœur vibrant, les fils de Noé étreignirent leur père. Dieu ne les avait pas abandonnés et leur périple avait pris fin, à l'issue de deux mois presque complets de traversée !

Peu de temps après, la porte de l'embarcation se rabattait avec un couinement terrible, et les hommes posaient les pieds sur la terre. Le sol était spongieux, gorgé d'eau. Sem regarda autour de lui avec découragement. Dans ses moments d'optimisme, il avait rêvé d'un monde plus accueillant que celui qu'ils avaient quitté. Car si Dieu les avait choisis pour perpétuer l'espèce humaine, n'était-ce pas parce qu'ils méritaient une vie plus facile ? Les images du jardin d'Éden avaient fécondé ses songes. En vain. Tout était comme avant, voire pire. Et ils devaient tout reconstruire, alors même qu'ils étaient aussi démunis que des nourrissons sortis du ventre de leur mère !

Mais les bêtes s'agitaient dans l'arche et il fallait se hâter. Les trois frères poussèrent d'abord les gros animaux vers la sortie. La gorge serrée, ils regardèrent les éléphants, les hippopotames, les girafes et les autres bestiaux franchir la rampe en flairant autour d'eux. Tous avaient piètre allure avec leurs corps efflanqués et leur air craintif. Par bonheur, ils retrouvèrent rapidement de l'assurance, et ce ne fut bientôt plus que roulades dans la boue et galops aussi frénétiques qu'éphémères. Après ces débordements de joie, les couples se reformèrent et chacun d'eux partit de son côté à la recherche de nourriture.

Sem les regarda s'éloigner avec émotion, conscient qu'une période exceptionnelle de compagnonnage entre les hommes et les bêtes prenait fin.

Faire sortir les animaux du deuxième étage ne fut l'affaire que de quelques minutes. Dans une course endiablée, les loups se mirent à doubler les castors, que refusaient de laisser passer les singes. La plupart d'entre eux se dispersèrent à la hâte, poussés par la faim.

Enfin apparurent les bestioles du dernier étage, grenouilles, taupes, serpents, escargots, papillons, insectes volants ou rampants, chacune avançant à son rythme.

Le plus impressionnant fut le départ des oiseaux,

qui s'échappèrent du toit sans attendre l'ordre de Noé. Une nuée noire occulta pendant un instant un coin du ciel, puis se dispersa.

Enfin, il ne resta auprès des hommes que quelques animaux domestiques, ânes, moutons, bœufs, chèvres, pigeons et tourterelles. Ce fut un moment de grande solitude, que Noé brisa en ordonnant aux membres de sa famille de réunir tous leurs effets.

– Il est temps de quitter l'arche, expliqua-t-il. Ce sommet est un milieu aride. Il nous faut descendre dans la vallée pour trouver un lieu favorable à notre installation.

De fait, le soleil qui brillait désormais avec intensité avait si bien fait baisser l'eau que la montagne déployait maintenant ses vastes pentes devant eux. Ils se mirent en route quelques heures plus tard. Avant de partir, Sem jeta un dernier regard sur l'arche. Bien qu'il n'y eût remis les pieds pour rien au monde, il se sentait étrangement ému de la quitter. Ils devaient la vie à cette arche. Cette arche qui, loin d'être une simple embarcation, incarnait la main protectrice de Dieu sur eux.

Les dix membres du clan de Noé progressaient lentement dans la pente boueuse. Déborah et Noémi avaient été hissées sur l'ânesse ; quant à l'âne, il avait été chargé d'une telle multitude de choses qu'il en était devenu presque invisible.

Autour d'eux, les flancs de la montagne étaient

parsemés de débris de toutes sortes, branchages, troncs, rochers déplacés. Sem se demandait si cette terre éprouvée parviendrait un jour à les nourrir, quand soudain Naama s'effondra. Cham se précipita pour la relever, mais elle était si épuisée que Sem dut la prendre sur son dos. « Comme elle est légère ! » pensa-t-il avec douleur en la soulevant.

Le petit groupe atteignit finalement un vaste plateau doté d'un lac. En s'approchant, ils découvrirent qu'un fin duvet verdissait ses abords. « La vie reprend ! » se réjouit Sem. Noé leva alors la main. Tandis qu'à ce signe hommes, femmes et enfants s'effondraient sur le sol détrempé, les bêtes se dispersèrent pour paître avec avidité.

CHAPITRE 8
NOÉ

Seul Noé ne s'était pas laissé choir à terre. Malgré son épuisement, il se mit en quête de morceaux de bois. Quand il en eut rassemblé une assez grande quantité, il l'enflamma à l'aide d'une des lampes à huile. Le bois était humide et prenait difficilement, mais le vieil homme ne se découragea pas et, enfin, une flamme brillante s'éleva du monticule de branchages. Sa femme, ses enfants et ses petits-enfants se réunirent autour de lui. Cela faisait si longtemps qu'ils n'avaient pas ressenti la chaleur réconfortante d'un feu ! Noé, sans cesser d'alimenter le foyer, dit alors :

– Mes fils, amenez-moi un bœuf, une chèvre, un agneau, deux jeunes tourterelles et deux pigeons.

Quand Sem, Cham et Japhet eurent fait ce que leur avait demandé le chef de famille, ils virent qu'il s'était muni d'un couteau à longue lame.

– Que vas-tu faire, père ? demanda avec stupéfaction le plus jeune des fils.

Ses yeux légèrement obliques s'étaient remplis d'inquiétude.

– Les sacrifier à Dieu, mon fils, répondit Noé.

– Mais ces animaux sont nos amis !

– Je sais que tu es très attaché à eux, Japhet. Mais Dieu mérite d'être remercié avec ce que nous avons de plus précieux.

– Dieu a voulu leur survie, plaida Japhet en désespoir de cause. Comment se reproduiront-ils, si nous les tuons ?

– Rappelle-toi que nous avons pris davantage de ces animaux afin d'honorer Dieu.

Sous le regard ébahi des membres de sa tribu, Noé immola les bêtes d'une main ferme et les poussa, l'une après l'autre, dans le brasier. Quand il eut fini, il dit :

– Ô Seigneur, nous Te louons de nous avoir gardés en vie. Accepte cette offrande en remerciement de Ta bonté et de Ta sagesse !

À peine le vieil homme s'était-il tu qu'une voix puissante retentit, une voix qui avait le pouvoir d'envelopper la montagne dans son ensemble. Elle s'adressait à Noé et à ses fils, et ceux-ci s'agenouillèrent en l'entendant :

– Toi, Noé, vous, Sem, Cham et Japhet, soyez féconds, multipliez-vous, et remplissez la terre ! Soyez la crainte et l'effroi des animaux de la terre, des oiseaux du ciel et des poissons de la mer. Ils sont livrés entre vos mains. Tout ce qui se meut et possède la vie vous servira de nourriture, je vous donne tout cela au même titre que la verdure des plantes !

Noé jeta un coup d'œil sur le troupeau qui s'était disséminé. L'Éternel les autorisait donc à tuer les bêtes pour se nourrir. Cela serait une grande aide pour leur subsistance !

– Toutefois, reprit la voix avec une nuance de menace, vous vous garderez de manger une créature tant que son sang la maintiendra en vie. De votre sang d'homme aussi, je demanderai compte. J'en demanderai compte à l'animal, et à l'homme qui frappe son frère. Qui verse le sang de l'homme, par l'homme aura son sang versé, car l'homme a été fait à l'image de Dieu !

Après avoir ainsi menacé ceux qui attenteraient à la vie d'un homme, la voix de l'Éternel se radoucit :

– Pour vous, soyez féconds, multipliez-vous, pullulez sur la terre et dominez-la, répéta-t-il. Et moi, je veux établir mon alliance* avec vous, vos descendants et toutes les créatures vivantes qui sont sorties de l'arche, oiseaux, bétail et animaux des champs. Désormais, nulle chair ne périra par les eaux du déluge, nul déluge ne désolera la terre !

Dans le silence qui s'ensuivit, Noé comprit toute la portée des paroles de l'Éternel. Celui-ci s'engageait à ne plus provoquer de déluge. Jamais plus les hommes ne connaîtraient une telle catastrophe ! Son soulagement fut immense, à la hauteur de toutes les épreuves qu'il avait traversées.

– L'arc dans la nuée, reprit la voix, sera le signe de l'alliance perpétuelle que j'institue entre moi et vous et toutes les créatures animées. Lorsque, à l'avenir, j'amoncellerai des nuages sur la terre et que l'arc apparaîtra dans la nuée, je me souviendrai de mon alliance avec vous, et les eaux ne deviendront plus un déluge.

Ainsi l'Éternel acheva-t-Il son propos. Le mot « déluge » résonna un moment sur le plateau puis s'estompa à la manière d'un orage qui s'éloigne.

Noé rassembla ses esprits. Un moment fondateur venait d'avoir lieu. Certes, l'Éternel avait rappelé l'inclination de l'homme pour le mal. Certes, Il avait laissé entrevoir que le monde à venir serait toujours le théâtre d'une lutte farouche entre les hommes et les animaux, voire de guerres fratricides entre les hommes. Mais c'était néanmoins un message d'espoir : non seulement l'Éternel avait confirmé la confiance qu'Il lui témoignait, à lui Noé, ainsi qu'à sa descendance, mais en plus Il s'était résigné. Il acceptait les hommes tels qu'ils étaient, portés aux mauvaises actions, tout en leur donnant des lois pour les aider à mieux se comporter. L'arc-en-ciel rappellerait aux hommes que leurs méchancetés n'entraîneraient pas la fin du monde. Ils pouvaient rebâtir l'humanité avec la certitude de l'indulgence de Dieu !

Un grand sourire traversa le visage fatigué du vieil homme et il leva les yeux sur sa femme et ses descendants.

– Mes enfants, Dieu nous a montré notre chemin. Festoyons en Son honneur.

Alors, il désigna un jeune mouton, le tua et le saigna. Bientôt, une délicieuse odeur de viande rôtie leur rappela à quel point ils étaient affamés. Noé découpa des morceaux bien tendres dans la chair dégoulinante de graisse chaude et les distribua au cercle qui s'était formé autour du feu. Quand il eut fini et que tous furent occupés à déguster ce nouveau mets ô combien savoureux, le chef de la tribu attira à ses côtés Déborah, qui avait refusé toute nourriture. Il savait à quel point elle avait été affectée par le sort de Moushi, et combien elle lui en voulait, lui qui avait rejeté le garçon de l'arche. Son âme, plus sensible que celle des adultes mais plus lucide que celle d'une jeune enfant, avait été davantage éprouvée.

– Tiens, ma petite, goûte comme cela est bon, lui dit-il avec tendresse, en lui donnant sa part.

Sans mot dire, la fillette prit le morceau, qu'elle porta machinalement à la bouche. Son grand-père ajouta :

– Moi non plus, je n'oublie pas Moushi. J'aurais aimé que Dieu nous autorise à le sauver.

L'espace d'un instant, leurs regards se croisèrent. Alors, le vieil homme frémit. Dans les yeux de Déborah, il n'y avait ni colère ni rébellion, juste un vide immense et vertigineux.

CHAPITRE 9
CHAM

H *uit ans plus tard.*

Cham était penché au-dessus de la rivière lorsqu'un paquet d'eau l'atteignit à la tête. Il se redressa d'un coup, faisant tomber la peau de bête qu'il nettoyait. À quelques pas de lui, enfoncés dans l'eau jusqu'au genou, une poignée de garçonnets le regardait en s'étouffant de rire.

– Allez jouer plus loin, espèce de polissons ! Vous ne voyez pas que je travaille ! s'écria le fils de Noé d'une voix colérique.

Des cascades de rire argentin continuaient à secouer les galopins.

– On t'a bien eu ! Tu ne nous as même pas entendus arriver ! s'exclama le plus grand du groupe, un garçon blond aux joues creusées de fossettes.

Sur ce, il envoya une nouvelle giclée d'eau vers Cham. Celui-ci fit mine de se lever et la petite bande se dispersa comme une volée de moineaux.

– Toi, Élam, tu ne perds rien pour attendre ! lança Cham à celui qui venait de le défier. Ce garçon est un vrai chenapan, ajouta-t-il en se tournant vers sa femme. Cette manière de se comporter ressemble tellement peu à Sem ! Qui plus est, il entraîne nos fils dans ses bêtises !

– Ne t'emporte pas, Cham, dit sa femme avec un sourire, ce ne sont que des jeux d'enfants. Un peu d'eau par cette chaleur ne peut nous faire de mal !

– J'en parlerai néanmoins à son père, bougonna le fils de Noé. Allons, terminons de laver cette peau de mouton, j'en ai assez d'avoir les genoux dans le sable.

Et ils se remirent à frotter le cuir vigoureusement.

En rentrant par le sentier qui longeait le lac, ils aperçurent la flopée de petits garçons qui tournaient autour de Japhet et de son troupeau. Cham s'arrêta pour les observer.

– Voilà maintenant qu'ils perturbent le bétail ! Il va vraiment falloir que je remette nos fils dans le droit chemin.

– Voyons, ne te souviens-tu pas comme c'était drôle de se cacher derrière les moutons ! le tempéra sa femme. Je suis sûre que tu jouais aux mêmes jeux quand tu étais petit ! Et puis, je ne crois pas que Japhet soit dérangé par Kouch, Misraïm et Pout. Il aime tellement les enfants, à commencer par son propre fils ! As-tu remarqué comme il s'occupe bien de Gomer ?

– Mmmm, bougonna Cham.

Ils avaient presque rejoint le campement quand trois silhouettes se découpèrent à contre-jour, deux grandes et une petite. Les deux groupes se rapprochèrent et un sourire de fierté se dessina sur le visage de Cham. Deux filles et quatre garçons, quelle belle descendance il avait ! En cela, ni Sem ni Japhet ne pouvaient rivaliser avec lui !

– Regarde, Canaan, voilà papa et maman ! dit une voix féminine en les pointant du doigt.

Le regard de Cham se posa sur le visage de Déborah. Comme elle était gracieuse ! La fillette d'hier s'était transformée en une jeune femme svelte, au teint doré et aux yeux bruns mêlés de vert. À ses côtés, Noémi semblait aussi gauche qu'un agneau tout juste sorti du ventre de sa mère !

– Où allez-vous, les enfants ? demanda Cham.

– Nous retournons cueillir du raisin pour Saba, répondit Déborah, en désignant les paniers que sa sœur et elle portaient à bout de bras.

Noé avait fait planter plusieurs rangs de vigne sur un flanc de la montagne et, maintenant que la récolte était presque achevée, chacun se demandait comment il utiliserait une telle quantité de raisin. Les initiatives du chef de famille les surprendraient toujours !

– Je vais reprendre Canaan, dit leur mère. Il va vous encombrer.

La femme de Cham tenta d'attraper son dernier fils, mais celui-ci se cacha sous la tunique de sa sœur en criant :

– Veux pas. Veux rester avec Borah !

– Arrête, Canaan, tu me chatouilles ! dit celle-ci en éclatant de rire.

Cham sentit son cœur fondre devant la franche gaieté de Déborah. Il en était de même chaque fois qu'il l'entendait s'esclaffer, un héritage de cette longue période pendant laquelle Déborah était restée murée dans sa tristesse, incapable de sourire et encore plus de rire. Son esprit semblait alors errer sans attaches. On lui parlait et elle acquiesçait d'un air vide, si bien qu'il avait cru que jamais elle ne retrouverait la raison. Quelle terrible période que celle qui avait suivi la fin du Déluge !

En un éclair, les images des premières semaines de leur installation lui revinrent, grises comme la boue qui régnait alors sur terre. Ils avaient posé leurs quelques hardes sur les berges de ce lac et ils s'étaient mis au travail. À la demande de Noé, il avait dû filer la laine pendant des jours pour confectionner quatre grandes tentes. Un travail colossal qu'il avait accompli seul, Sem étant occupé aux cultures et Japhet à déplacer le troupeau qui peinait à se nourrir, faute d'une végétation abondante. Si l'Éternel ne les avait pas encouragés et ne leur avait pas donné la viande comme aliment, jamais ils ne s'en seraient sortis. L'Éternel, qui donnait d'une main ce qu'il reprenait de l'autre…

Enfin, peu à peu, les choses s'étaient remises en ordre. Le campement avait pris forme, les céréales avaient poussé, les bêtes s'étaient reproduites. Les hommes s'étaient habitués à leur nouvelle condition et avaient abandonné l'espoir de découvrir des rescapés du Déluge. Surtout, il y avait eu la naissance du premier enfant de ce monde nouveau, Élam, le fils de Sem… Oui, voilà ce qui avait vraiment changé les choses ! Quand le nourrisson avait fait sa vigoureuse apparition, Sem avait été transfiguré. Son bonheur faisait plaisir à voir. Tout l'émerveillait, une plante fleurissant, une étoile plus brillante que les autres, même une pierre parvenait à l'émouvoir. Pour remercier l'Éternel, il avait préparé un beau sacrifice.

C'est durant cette période que Cham avait vu renaître une flamme dans les yeux de Déborah. Comment Sem avait-il aussi compris ? Il avait mis le garçonnet dans les jambes de la jeune fille et, peu après, elle avait retrouvé la parole. La naissance de ses frères et celle du fils de Japhet n'avaient fait qu'accélérer sa convalescence. Désormais, Déborah s'occupait essentiellement de Canaan, le petit dernier, un garçonnet brun aux yeux très clairs pour lequel elle avait un faible avoué.

– Maman, on peut le garder avec nous, il ne nous gêne pas, déclara alors sa fille comme pour confirmer ses pensées.

Cham regarda Canaan, et il tressaillit, soudain frappé par la ressemblance de Canaan avec Moushi. Même couleur de peau, même visage ovale, mêmes grands yeux presque écarquillés, et il n'avait rien vu ! Voilà qui expliquait pourtant bien des choses…

– Je sais, ma chérie, mais je le connais : il va encore se gaver de raisin et ce sera de nouveau une nuit de coliques.

– Ta mère a raison, approuva Cham. Canaan, viens dans les bras de papa, et je te lancerai très haut dans le ciel, promit-il d'un ton joyeux à son fils.

Le garçon, appâté, se rua vers son père qui le prit dans ses bras et chacun reprit son chemin. En arrivant au campement, Cham se sépara de sa femme pour se diriger vers la tente de Noé.

– Allons voir ce que Saba fait avec son raisin, dit-il au garçonnet en le posant au sol.

L'intérieur de la tente était silencieux et Cham crut tout d'abord qu'elle était vide. Mais un léger ronflement attira son attention et il découvrit son père dormant comme un bienheureux sur une peau de bête, tout nu. Interloqué, Cham attrapa la cruche vide posée non loin de lui. Une odeur de raisin fermenté lui monta à la tête. Voilà ce qui avait assommé son père ! Cham sourit et entraîna Canaan à l'extérieur.

– Saba tout nu ! s'exclama Canaan.

– Saba trop bu ! répliqua Cham du tac au tac.

À cet instant apparurent ses frères, qui rentraient de la montagne.

– Eh, Sem, Japhet, venez voir ! Notre père s'est endormi tout nu dans sa tente !

Japhet et Sem le regardèrent avec une mine ébahie.

– Dis-tu vrai ? gronda Sem.

– Oui, il est nu comme un ver, répéta Cham en riant.

– Et tu ne l'as pas recouvert ? Ne sais-tu pas que la nudité nous est interdite depuis la faute d'Adam et Ève ? dit Sem d'un ton courroucé. Viens, Japhet, nous ne pouvons laisser notre père ainsi.

Cham, contrarié par la réaction de ses frères, s'éloigna avec Canaan. Il ne les vit donc pas s'emparer d'une couverture et entrer à reculons dans la tente de leur père afin de le recouvrir sans le voir.

Un peu plus tard dans la soirée, Japhet vint chercher Cham, qui dînait avec sa famille.

– Notre père s'est réveillé, dit-il précipitamment. Il nous attend tous les trois dans sa tente. Tout de suite.

Cham, perplexe, suivit Japhet, qui se refusait à

la moindre explication. Dans la tente étaient déjà assis Noé et Naama, ainsi que Sem. À leur entrée, personne ne leva les yeux vers eux, et Cham, en s'installant, ressentit la tension qui régnait dans les lieux.

Quand le vieil homme prit la parole, son regard resta fixé sur le lointain. Jamais son maintien n'avait été aussi grave et digne.

– J'ai élevé mes fils à la sueur de mon front. Je leur ai enseigné à respecter Dieu et leurs parents. En ce jour, un de mes fils a bafoué ce qu'il y avait de plus sacré.

Sa voix était celle d'un homme blessé, et Cham blêmit.

– Ce fils a abusé d'un instant de faiblesse, continua-t-il. Il m'a trahi.

Son visage se tourna lentement vers Cham.

– Mais, père…

– Cham, le mal est fait. Que ta faute retombe sur Canaan, qu'il soit maudit et devienne l'esclave des esclaves de Sem et de Japhet !

Cham crut avoir mal compris. Son père, maudire son fils, un enfant si jeune ? Mais Noé reprit et confirma :

– Béni soit l'Éternel, le Dieu de Sem, et que Canaan soit Son esclave. Que Dieu agrandisse Japhet, qu'Il habite dans les tentes de Sem, et que Canaan soit Son esclave ! Maintenant, laissez-moi seul, j'ai besoin de prier.

Les trois fils quittèrent ensemble la tente. Le tanneur se tourna alors vers ses frères et leur demanda avec irritation :

– Qu'avez-vous dit à notre père ?

– Ne nous accuse pas, Cham. À son réveil, notre père s'est étonné de se trouver nu sous une couverture et nous a interrogés. Nous n'avons fait que lui raconter ce qu'il s'était passé. Il est entré dans une colère terrible en apprenant que Canaan et toi l'aviez vu dans cet état.

Sem et Japhet avaient l'air sincèrement désolés et Cham, accablé, incapable d'affronter sa propre famille, s'enfonça dans la nuit. Oui, il avait fait une erreur, il n'avait pas baissé les yeux devant le corps dévoilé de son père. Mais était-ce grave au point que Noé les prenne en horreur, lui et Canaan ? Et qu'il condamne un garçonnet à être l'esclave de ses frères et de ses cousins ?

Cette nuit-là, il erra longtemps sans trouver de réponses à ses questions. Pour la première fois de sa vie, il lui semblait que son père se trompait.

ÉPILOGUE

Quelques jours plus tard, une colonne d'hommes et d'animaux s'éloigna du campement en une lente procession. Peu après, elle se scinda en deux groupes qui prirent des directions opposées. D'un côté se trouvait la famille de Cham, de l'autre, celle de Japhet. Car les frères, après l'épisode de la malédiction de Noé, s'étaient concertés et en avaient décidé ainsi : puisque tous trois n'étaient plus égaux aux yeux de leur père, mieux valait qu'ils se séparent et fondent chacun des peuples différents.

Noé avait accepté la décision sans faire de

commentaires. Nul ne savait trop ce qu'il pensait, ces jours-ci. Le matin du départ, il était parti de son côté et avait escaladé la montagne. Puis subitement, il s'était arrêté au-dessus de sa tribu rassemblée pour la dernière fois et avait tendu le bras sur elle. Chacun s'était senti réconforté par ce geste.

Les adieux entre les trois frères avaient été chaleureux mais brefs. Dans ce monde à reconstruire, il n'y avait guère le temps de s'attarder sur ses sentiments.

Sem, l'aîné, debout devant les tentes, regarda disparaître ceux qu'il aimait. Après avoir discrètement essuyé une larme, il fit descendre Élam de ses épaules et le remit à sa femme pour retourner à ses cultures. D'ailleurs, le champ fatiguait. Un jour, lui aussi devrait quitter ces lieux…

Cham, en tête de colonne, marchait en se forçant à l'optimisme. Le plus difficile était passé, maintenant que la séparation avait eu lieu. Toute la famille semblait finalement réjouie de cette aventure, même Déborah affichait une mine sereine. Comme il avait bien fait de garder secrète la raison de ce départ ! Et, à coup sûr, il dénicherait quelque endroit favorable où sa descendance trouverait à se multiplier…

Derrière son troupeau, Japhet avançait, le cœur serré à l'idée qu'il ne verrait plus ses frères, Sem le vertueux, Cham l'impulsif au cœur plus tendre qu'il ne le laissait paraître. Et ce n'était pas Gomer qui pleurnichait derrière lui, désolé d'avoir perdu ses cousins, qui le consolerait…

Soudain, un arc-en-ciel se forma à l'horizon et tous les regards se remplirent d'émerveillement. L'Éternel leur rappelait Son alliance ! L'Éternel approuvait leur décision de se séparer ! Car ainsi ne repeupleraient-ils pas mieux la terre ? Les gestes se raffermirent, les pas se firent plus décidés. Les hommes avançaient aux côtés de Dieu.

NOTE DE L'AUTEUR

Raconter l'histoire de Noé sous forme de roman présentait quelques difficultés, que j'ai ainsi résolues :

Les sources

Deux sources coexistent dans cet épisode de la Genèse* : l'une déroule les événements sans attacher grande importance à leur chronologie précise (source dite yahviste), tandis que l'autre donne des repères temporels nombreux et précis (source dite sacerdotale). J'ai utilisé la version sacerdotale quand celle-ci était compatible avec le réalisme nécessaire au roman et la version yahviste lorsque au contraire ces repères ne l'étaient pas (par exemple, la construction en sept jours de l'arche par Noé).

Femmes et filles

Ce passage de la Bible* ne s'intéresse guère aux femmes de la tribu de Noé. Si elles sont évoquées, c'est de manière anonyme et seulement en tant que « femmes » ou « belles-filles ». Je me suis fait l'écho de cette transparence en accordant un nom uniquement à la femme de Noé. Celui-ci, Naama, est tiré de la tradition hébraïque. Quant aux filles, éventuelles descendantes des fils de Noé, elles n'existent tout simplement pas dans le récit de la Génèse. Compte tenu de l'improbabilité de leur absence, je me suis autorisée à créer Déborah et Noémi.

Méchanceté de l'homme

Pour mettre en valeur l'exemplarité de Noé et de sa famille, il m'a fallu créer des personnages illustrant les travers de l'homme. C'est ainsi que la famille d'Élisour est sortie de mon imagination.

Ordre des fils

Dans ce passage de la Genèse, les fils de Noé sont toujours nommés dans le même ordre, qui semble être celui de leur naissance : Sem, Cham et Japhet. Néanmoins, un des derniers versets contant la vie de Noé revient sur cette impression en qualifiant Cham de fils le plus jeune. Face à cette contradiction, j'ai opté pour l'ordre prévalant dans le récit.

Cham et Canaan

Le fait que la malédiction de Noé s'abatte sur Canaan plutôt que sur son père, Cham, qui a commis la faute est difficile à expliquer, si ce n'est par une forme d'identification de l'un à l'autre (le nom de Cham disparaît dans ce passage de la Génèse au profit de celui de Canaan). Cet épisode de la malédiction doit en fait se comprendre comme une amorce d'explication aux événements racontés ultérieurement dans la Bible hébraïque : il justifie la préférence de Dieu pour Sem, ancêtre d'Abraham et des Israélites, et la domination de sa descendance sur les Cananéens.

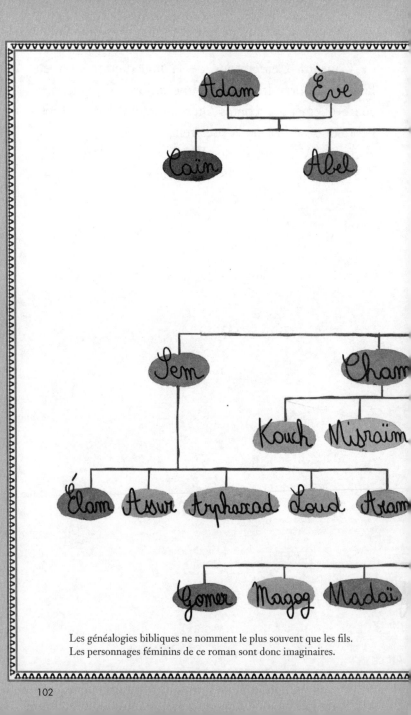

Les généalogies bibliques ne nomment le plus souvent que les fils.
Les personnages féminins de ce roman sont donc imaginaires.

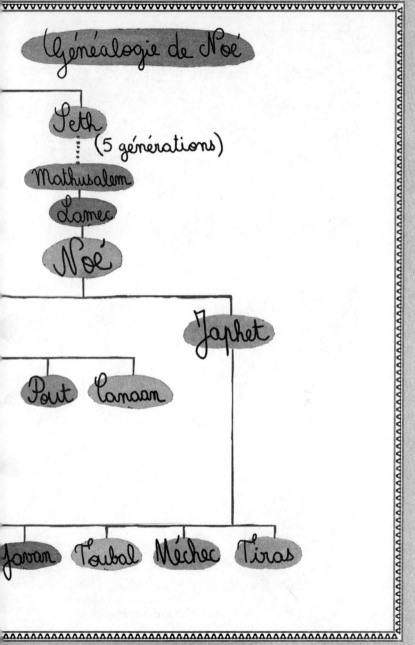

Généalogie de Noé

Seth

(5 générations)

Mathusalem

Lamec

Noé

Japhet

Pout   Canaan

Javan   Toubal   Méchec   Tiras

- Le monde de Noé -

POUR MIEUX CONNAÎTRE

NOÉ

LES ORIGINES DE NOÉ

La vie de Noé et tous les événements auxquels il est mêlé occupent la section du Tanakh (Bible hébraïque) qui porte son nom (*Noah*, en hébreu ; Genèse 6-11). Toutefois, Noé meurt au chapitre 9, et le chapitre 10 rapporte les généalogies de ses fils. La trame du roman que vous venez de lire correspond fidèlement au récit biblique.

Si l'étymologie du nom de Noé est approximative (*Noah*, « qui soulage », selon la Bible), il n'en va pas de même pour celui des fils : Sem (*Shem*), c'est « le Nom », Cham (*Ham*), « l'Ardeur », « la Chaleur » et Japhet (*Yopheth*), « la Beauté ».

L'histoire de Noé présente une parenté certaine avec des récits mythologiques du Proche-Orient bien antérieurs (IIe millénaire av. J.-C., alors que le Tanakh a été rédigé vers le VIIe s. av. J.-C.), qui évoquent un Déluge dévastateur auquel survit un héros, nommé soit Atrahasis (*Poème du Supersage*), soit Uta-Napishti (*Épopée de Gilgamesh*) pour les plus célèbres. Considérons toutefois la cause du Déluge : dans les récits mythologiques, les dieux sont simplement fatigués d'entendre le vacarme produit par des humains devenus trop nombreux. Ils feront en sorte, par la suite, d'éviter toute surpopulation humaine. Dans le Tanakh, le Déluge est la réponse divine au Mal qui a envahi la terre. Et après le Déluge le Dieu biblique prend soin d'énumérer les lois fondamentales qui devront régir la vie des hommes.

Par ailleurs, l'histoire du Déluge est incompatible avec les données actuelles de la science. Ainsi, même si elle a peut-être été inspirée par le souvenir de quelque cataclysme qui aurait frappé la région du Proche-Orient, elle n'a pas de valeur historique, mais seulement symbolique. Toutefois, le mythe originel a été notablement renouvelé par la visée morale et théologique du Tanakh.

Pour aller plus loin dans la compréhension de l'épisode biblique, consultons d'abord les commentaires et les récits (*midrashim*, dont l'ensemble forme le Midrash*) réunis dans la littérature rabbinique* dès la chute du second Temple* (70 ap. J.-C.), et qui complètent le Tanakh.

Littérature juive rabbinique

Dans l'histoire de Noé, plusieurs éléments appellent précisions ou commentaires.

• **La personnalité de Noé:** même s'il a été sauvé par Dieu, Noé n'est pas toujours considéré par les rabbins comme un Juste à part entière. D'abord parce qu'il s'est enivré, et par là même avili. La nudité dans laquelle il se laisse voir en est l'image. Surtout, selon certains, il n'a pas la vertu d'un Abraham, le Juste par excellence. Quand Dieu lui annonce le Déluge à venir, Noé ne fait rien pour l'empêcher (à part ses tentatives pour amener les hommes à s'amender), alors qu'Abraham, dans une situation à peine moins terrible (il s'agit de la destruction de Sodome et de Gomorrhe, en Genèse 18, 23 et suivants), discute pied à pied avec Dieu pour obtenir le salut de la région, s'il s'y trouve seulement dix innocents.

• **Le crime de Cham :** Cham n'aurait pas seulement « vu la nudité » de son père, mais se serait aussi moqué de lui. Plus grave, selon certains rabbins : ce n'est pas une simple indiscrétion qu'il commet, mais un crime sexuel, car l'expression utilisée est proche de celle qui, dans le Lévitique*, désigne des relations sexuelles prohibées (« découvrir la nudité »). Soit viol, soit castration réelle ou symbolique : Noé n'aura pas d'autre fils que les trois qui sont montés dans l'arche.

• **La malédiction de Canaan :** si Noé ne maudit pas Cham, mais Canaan, c'est que Dieu a béni Noé et ses fils à leur sortie de l'arche ; impossible alors de maudire l'un d'eux. Par ailleurs, Canaan est le quatrième fils de Cham. Or, Cham a empêché Noé de procréer un quatrième fils. Ainsi s'explique que Canaan reçoive la malédiction qu'on imaginait due à son père. D'autres encore pensent que Canaan aurait incité son père à outrager Noé.

Noé selon le christianisme

Aux yeux des chrétiens, la plus grande partie du Tanakh

annonce la venue de Jésus-Christ*, qui sauve les hommes de leurs péchés. En ce sens, l'épisode du Déluge et de Noé est lu par les Évangiles* et par les Pères* de l'Église comme une renaissance annonciatrice du cataclysme universel qui accompagnera le Jugement dernier*. L'arche construite en bois imputrescible préfigure l'Église, comme Noé préfigure Jésus, et son bois évoque celui de la croix ; le Déluge symbolise le baptême (qui efface les péchés comme le Déluge a noyé le Mal) ; la colombe représente le Saint-Esprit* ; quant au rameau d'olivier, il est témoignage de paix et de résurrection et évoque la venue du Messie* (Jésus pour les chrétiens), attendue au mont des Oliviers, à l'est de Jérusalem ; enfin, de l'ivresse de Noé le christianisme retient surtout la plantation de la vigne (le vin est symbole du sang du Christ).

Noé dans l'islam

Noé (*Nûh* en arabe) est l'un des prophètes* de l'islam. Il apparaît à plusieurs reprises dans le Coran*, en particulier dans la sourate 71, qui porte son nom, et la 11, où est évoqué le Déluge. Aux yeux des musulmans, Noé ne monta dans l'arche qu'après avoir longtemps prophétisé (950 ans !) pour convaincre les hommes d'adorer Dieu et de changer de vie. Mais très peu le crurent, et ceux-là seuls furent sauvés. La filiation ici n'est pas celle du sang (l'un des fils de Noé refuse de monter dans l'arche), mais celle de la foi. L'arche n'atterrit pas sur le mont Ararat, comme dans la Bible, mais sur le mont Jûdî, plus au sud. Par ailleurs, il n'est jamais fait mention de l'ivresse de Noé : un homme de Dieu ne saurait faillir.

Le personnage de Noé occupe ainsi une place importante dans chacune des religions monothéistes. Qu'en est-il dans l'imaginaire des civilisations où se développèrent ces religions ?

LES VOYAGES DE NOÉ À TRAVERS LES ARTS

Arts plastiques

Dans la mesure où judaïsme et islam répugnent à la représentation humaine, l'art s'est emparé de Noé et du Déluge essentiellement dans l'aire d'influence chrétienne. Le motif de la colombe apportant un rameau d'olivier (symbole de l'espoir en une vie éternelle) figure déjà dans les catacombes de Rome (IIIe-IVe s.) !

• **Au Moyen Âge**, Noé et l'arche sont un motif très souvent représenté. Les différents épisodes de cette histoire figurent sur toutes sortes de supports : enluminures (***Psautier de Saint Louis***, XIIIe s.), fresques (église abbatiale de Saint-Savin-sur-Gartempe, XIe-XIIe s.), mosaïques (basilique Saint-Marc, à Venise, XIIIe s.), chapiteaux sculptés (cloître de Monreale, en Sicile, XIIe s.), vitraux (cathédrale de Chartres, XIIIe s.)... Outre Noé dans l'arche sont représentés la construction de l'arche, le Déluge avec une mer couverte de cadavres, la colombe et le rameau d'olivier, Noé ivre et/ou maudissant Cham.

• **À la Renaissance**, retenons deux œuvres majeures :

– ***L'Histoire de Noé*** (1425-1452), un des bas-reliefs qui ornent les portes de bronze du baptistère de Florence (« portes du Paradis »), par Lorenzo Ghiberti ;

– ***Le Déluge***, ***Le Sacrifice de Noé*** et ***L'Ivresse de Noé***

(1508-1509), scènes peintes à fresque au plafond de la chapelle Sixtine (palais du Vatican), par Michel-Ange.

• **Au XIXᵉ siècle** (période romantique), c'est le Déluge et ses horreurs qui inspirent davantage peintres et sculpteurs :

– *Le Déluge* (1805) et *Le Matin après le Déluge* (1843), de William Turner ;

– *Scène de* (ou *du*) *déluge* (1806), de Anne-Louis Girodet ;

– *Scène du Déluge* (1818), de Théodore Géricault.

• Enfin, **au XXᵉ siècle**, Marc Chagall, peintre de culture juive, traita de nombreux sujets bibliques. Citons, parmi les tableaux du *Message biblique* (1966) : *L'Arche de Noé* et *Noé et l'arc-en-ciel*.

Néanmoins, l'art islamique en certaines régions du monde a perpétué une tradition figurative (miniatures persanes ou turques). Il existe ainsi plusieurs représentations de l'arche de Noé par des anonymes du XVIᵉ siècle.

Au XXᵉ siècle, le miniaturiste turc Nusret Çolpan (1952-2008) a enrichi cette tradition avec sa version de *L'Arche de Noé*.

Littérature

• **Au Moyen Âge**, l'histoire de Noé est représentée dans certains « mystères », créations dramatiques religieuses qui, jouées sur le parvis des églises les jours de fête, illustrent la Bible ou l'enseignent à des fidèles illettrés. Retenons *Noye's Fludde* (ou *Noah's Flood*, « L'Inondation de Noé », qu'on traduit le plus souvent par « L'Arche de Noé »), l'un des mystères du Cycle de Chester (Angleterre, XVᵉ s.).

• Par la suite, le thème de Noé et du Déluge inspire diversement les écrivains. Retenons quelques œuvres des XIXᵉ et XXᵉ siècles :

– *Le Ciel et la Terre* (1821), drame de Lord Byron ;

– « **Le Déluge** » (*Poèmes antiques et modernes*, 1826), d'Alfred de Vigny ;

– « **La première page** » (*La Fin de Satan*, 1886), poème de Victor Hugo ;

– *L'Arche de Noé* (1938), nouvelle de Jules Supervielle ;

– « **Noé** » (*Cases d'un échiquier*, 1970), court texte de Roger Caillois ;

– *Déluge* (2010), roman d'Henry Bauchau.

Musique

Quelques œuvres musicales s'intitulent *Le Déluge* :

– opéra (1830), de Gaetano Donizetti sur un livret de Domenico Gilardoni ;

– oratorio (1876), de Camille Saint-Saëns sur un poème de Louis Gallet ;

Le mystère médiéval *L'Arche de Noé* fut aussi mis en musique :

– pour voix et orchestre d'enfants et d'adultes (1958), par Benjamin Britten ;

– jeu musical (1962) composé pour la télévision par Igor Stravinski.

Cinéma

Le mythe de Noé a également inspiré le cinéma, et *L'Arche de Noé* est le titre d'une dizaine de films. Retenons :

– le film muet (1928), de <u>Michael Curtiz</u> ;

– le premier court-métrage d'animation (1933, série des *Silly Symphonies*), des studios Disney.

Toutes ces œuvres ne présentent pas la même interprétation de Noé et du Déluge. La vision des auteurs dépend autant du lieu ou de leur époque que de leur opinion propre.

NOÉ, LE BIEN ET LE MAL

Il est difficile d'isoler Noé de ce qui l'entoure, arche, Déluge, descendance… Nous allons donc l'approcher à travers tous ces éléments, qui n'ont pas reçu la même interprétation à travers toutes les périodes.

Le personnage de Noé

• **Un saint ?** Noé appartient aux livres saints des trois religions monothéistes. Si l'on excepte le judaïsme, dont l'opinion sur Noé, comme nous l'avons vu, est nuancée, la « sainteté » du personnage n'a été contestée ni par la chrétienté ni par l'islam, comme en témoignent les œuvres du Moyen Âge et de la Renaissance.

Pour revenir au judaïsme, certains midrashim complètent les silences du Tanakh en expliquant que Noé mit très longtemps à construire son arche, car il essayait dans le même temps de convaincre les hommes de revenir à Dieu et au Bien, ce qui leur aurait sans doute permis d'échapper à la destruction. Mais, d'autres commentateurs juifs estiment qu'un homme capable d'accepter la destruction complète de l'humanité sans protester ne peut être un Juste au sens plein.

Par la suite, avec le recul de la religion et la désacralisation de la Bible dans le monde chrétien, nombreux sont ceux qui dénoncèrent en Noé l'un de ces dévots qui, fiers de leur propre vertu, n'ont qu'indifférence pour l'humanité ordinaire.

• **L'ivresse de Noé.** Cet épisode de la vie de Noé est interprété différemment par les juifs et les chrétiens. Les premiers ne trouvent guère d'excuse à l'ivresse de Noé, qui l'avilit. Les chrétiens sont moins sévères. D'une part, Noé est un personnage saint, puisqu'il préfigure le Christ en sauvant une première fois l'humanité. D'autre part, la vigne est source de vie dans le christianisme. Avoir planté la vigne est donc un bien.

En revanche, R. Caillois fait de Noé un alcoolique, qui « cherchait à oublier qu'il avait été l'instrument et le complice d'un crime qu'il comprenait de moins en moins ». Condamnation de Dieu plus que de l'homme.

Dans un tout autre cadre, le goût de Noé pour le vin en fait un personnage éminemment sympathique, saint patron des vignerons. Plusieurs anciennes publicités pour des vins faisaient référence à lui ou à l'arche !

Les descendants de Noé

• **Cham et Canaan : histoire d'une malédiction.** La Bible, nous l'avons vu, évoque une seule punition après la sortie de l'arche : Noé maudit Canaan pour la faute de son père Cham, et le condamne à être le « serviteur des serviteurs » de ses oncles, terme qui est généralement traduit par « esclave ».

À côté de cela, un midrash affirme que Cham a été « noirci » par Dieu en punition d'un écart de conduite commis dans l'arche. De telles condamnations s'appliquent à toute la descendance de chacun des hommes, c'est-à-dire à tout un peuple.

Or, chacun des trois fils de Noé est plus ou moins à l'origine du peuplement d'une partie du monde (« Table des peuples », en Genèse 10), et c'est la descendance de Cham qui occupe l'Afrique. Ainsi, le noircissement pourrait être en rapport avec la couleur de peau de la majeure partie des Africains. (Il faut toutefois noter que certains des descendants de Cham s'installent au Moyen-Orient : son fils Canaan [qui porte le nom du territoire correspondant à peu près à celui d'Israël et de la Palestine actuels] ou son petit-fils Nemrod [souverain de Babylone, en Mésopotamie].)

Or un amalgame se produisit à l'époque moderne (XVIIe-XIXe s.) entre les deux punitions : la malédiction frappant Canaan (l'esclavage) fut reportée sur Cham, présenté comme l'ancêtre de toutes les populations d'Afrique noire. La « malédiction de Cham » permettait de considérer que la noirceur de peau était le signe (envoyé par Dieu !) d'une nature d'esclave. Les esclavagistes justifièrent ainsi, par cet odieux tour de passe-passe, la pratique de l'esclavage qui se développait à la même période !

• **Peuples et « races ».** La plupart des théories liées aux « races humaines » (XIXe-XXe s.) se réfèrent à la même « Table des peuples ». C'est à cette période que les linguistes utilisèrent les mots *sémite* et *sémitique* (de Sem) pour désigner peuples et langues du Proche-Orient, *chamitique* et *couchitique* (de Cham et de Kouch, l'un de ses fils) pour nommer les langues d'Afrique. Si cet usage n'a rien de choquant, il n'en va pas de même des théories racistes, fondées sur la notion de race, heureusement battue en brèche aujourd'hui grâce aux avancées de la science.

Le Déluge

• **Un mal pour un bien?** Ni les artistes du Moyen Âge ni ceux de la Renaissance ne cherchent à atténuer ce qu'a de terrible la situation hors de l'arche (alors que le récit de la Bible évoque les faits sans y mettre d'émotion). Mais tous acceptent le caractère salvateur du cataclysme. C'est encore vrai aujourd'hui pour H. Bauchau, par exemple, pour qui le Déluge permet de se débarrasser du Mal, de la souffrance.

Mais à partir du XVIIIᵉ et surtout du XIXᵉ siècle, ce Déluge dévastateur suscite un sentiment de révolte chez des poètes et des peintres, qui en accentuent l'horreur (A. de Vigny, A.-L. Girodet). En outre, si le Déluge vient punir les fautes des hommes, desquelles s'agit-il? Y en a-t-il une seule qui justifie cet anéantissement? Et pour quel résultat? Le Mal resurgit dès que les hommes sortent de l'arche, fait remarquer V. Hugo.

• **Vérité ou mythe?** La méfiance des artistes du XIXᵉ siècle vis-à-vis des données du texte biblique s'est trouvée confortée par les progrès scientifiques accomplis à la même époque. Les découvertes, surtout celles de Charles Darwin sur l'évolution des espèces au moyen de la sélection naturelle (*L'Origine des espèces*, 1859), ont mis en lumière l'impossibilité matérielle du Déluge et de la préservation des espèces au moyen de l'arche.

Celle-ci, d'ailleurs, si souvent représentée sous forme de bateau, n'est, selon les données bibliques, qu'un immense coffre étanche qui, chargé comme il l'était, n'aurait pu flotter même quelques heures.

C'est pourquoi les religions monothéistes considèrent aujourd'hui que l'histoire de Noé recèle une vérité non littérale, mais, répétons-le, symbolique. En cela, elle s'apparente à un mythe. Cette nouvelle certitude permet de considérer le Déluge avec humour (J. Supervielle).

Pourtant, il est, encore de nos jours, des hommes qui organisent de périlleuses expéditions jusqu'au sommet du mont Ararat pour retrouver les vestiges de l'arche. Le besoin de merveilleux est sans doute plus fort que tout !

L'arche de Noé, un mythe à la portée des enfants

Si actuellement Noé et même le Déluge peuvent parfois faire sourire, combien davantage encore l'arche et son chargement d'animaux tous plus exotiques les uns que les autres ! Les sages et les théologiens se sont certes interrogés sur les miracles nécessaires pour faire vivre côte à côte pendant des mois prédateurs et gibier, mais les enfants d'aujourd'hui s'amusent de ce zoo flottant, et l'arche est l'un des sujets récurrents de la littérature enfantine ou des représentations sous forme de jouet !

Oublié, le Déluge qui l'accompagne, oubliée, la colère de Dieu, oubliés, les cadavres. L'arche est rassurante, elle protège, elle accueille.

D'ailleurs, plus sérieusement, un grand nombre d'associations qui s'occupent de réfugiés, de blessés de la vie, reprennent cette dénomination : «Arche», ou «Arche de Noé».

* * *

Ainsi, l'histoire de Noé est riche de toutes sortes d'interprétations, sans cesse renouvelées. C'est que cette grandiose et tragique histoire est source inépuisable de réflexion et d'enseignement.

LEXIQUE

Adam : premier homme créé par Dieu selon la Bible. Avec Ève, la première femme, ils eurent trois fils : Caïn, Abel, puis Seth. Celui-ci fut engendré en « remplacement » d'Abel, tué par Caïn.

Alliance : dans la Bible hébraïque, « contrat » passé entre Yahvé et l'ensemble des êtres vivants : Dieu ne détruira plus la terre, mais les hommes doivent s'efforcer d'obéir aux sept lois fondamentales. Cette alliance est rappelée par l'arc-en-ciel.

Il y aura par la suite une autre alliance entre Yahvé et les descendants d'Abraham, matérialisée par la circoncision (ablation du prépuce) de chaque enfant mâle.

Bible : livre sacré du judaïsme et du christianisme, nommé d'après le grec *biblia*, « les livres ».

La partie la plus ancienne est la **Bible hébraïque** ou **Tanakh**, Ta-Na-Kh étant l'acronyme des trois parties qui la composent : **T**orah (la Loi), **N**eviim (les Prophètes) et **K**etouvim (les Écrits). Selon les juifs, la Torah a été écrite par Moïse, les autres textes étant plus tardifs. D'après les travaux les plus récents de la critique, le texte a été essentiellement compilé, à partir de matériaux plus anciens, au VIIe siècle avant J.-C., et sa mise en forme a été achevée au IVe siècle de notre ère. La langue utilisée est l'hébreu, avec quelques passages en araméen (langue administrative de l'Empire perse après le VIᵉ s. av. J.-C.).

Au IIᵉ siècle avant J.-C. a vu le jour, à l'usage des Juifs d'Alexandrie, une traduction grecque, dite Bible des Septante, qui présente quelques différences avec le Tanakh. C'est cette traduction qui est devenue l'**Ancien**, ou **Premier**, **Testament** catholique et orthodoxe. Les protestants, eux, ont adopté la Bible hébraïque.

À cet Ancien, ou Premier, Testament est venu s'ajouter pour les seuls chrétiens le **Nouveau Testament**, qui relate l'avènement de Jésus-Christ. Il contient les quatre Évangiles, les Actes des Apôtres, les Épîtres et l'Apocalypse de Jean (composés en grec aux Iᵉʳ et IIᵉ s. de notre ère), et a été définitivement fixé au Vᵉ siècle.

Cet ensemble a été diffusé dans le monde romain grâce à la Vulgate, traduction en latin établie à partir de l'hébreu et du grec par Jérôme de Stridon entre 382 et 405. C'est la version officielle de l'Église catholique.

Caïn : fils aîné d'Adam et Ève. Comme Dieu montrait une préférence pour son frère Abel, Caïn tua ce dernier.

Christ : du grec *christos*, « enduit », « oint », qui traduit l'hébreu *mashiah*, transcrit par « Messie ». Le mot hébreu désigne d'abord le grand prêtre consacré par une onction (avec une huile elle-même consacrée) ; les rois d'Israël reçurent également l'onction, ainsi que les prophètes. Selon le judaïsme, le Messie, issu de la lignée de David, amènera une ère de paix et de bonheur, un monde nouveau. Les chrétiens sont ceux qui ont reconnu en Jésus le Messie, le Christ attendu, au contraire des juifs, qui l'espèrent toujours.

Coran : livre saint de l'islam. Il regroupe les paroles de Dieu (*Allah*) révélées au prophète de l'islam, Mahomet (*Muhammad*), par l'intermédiaire de l'archange Gabriel, au tout début du VIIᵉ siècle. Le Coran est divisé en 114 chapitres nommés « sourates ».

Déluge : dans la Bible, inondation universelle causée par des pluies ininterrompues durant quarante jours et quarante nuits, conjuguées au débordement des sources. Depuis, le mot est passé dans le langage courant et désigne toute pluie torrentielle, ou une surabondance de paroles, de cadeaux... ou bien la fin de tout (« Après moi, le déluge ! »). L'adjectif correspondant est « diluvien ». Un objet « antédiluvien » est si ancien qu'il pourrait dater d'avant le Déluge !

Dieu : unique et universel selon les religions monothéistes, judaïsme, christianisme, islam. Dans la Bible hébraïque, il est désigné par un *tétragramme* (« quatre lettres », en grec) transcrit YHWH, et prononcé (avec des voyelles) Jéhovah ou Yahvé par les chrétiens. Pour les juifs en revanche, le caractère sacré du tétragramme interdit de le prononcer, et on le remplace à la lecture par différents noms ou qualificatifs : l'Éternel, le Seigneur, le Tout-Puissant...

Éden : lieu mythique du paradis (mot grec issu du persan, qui signifie « jardin ») où Dieu établit Adam et Ève. Ils en furent chassés après avoir désobéi à Dieu.

Évangile : « la bonne nouvelle », en grec. On désigne par ce nom les livres qui rapportent l'enseignement de Jésus, qui annonçait l'avènement du Royaume céleste. Les Évangiles auraient été écrits par les apôtres eux-mêmes (compagnons de Jésus et propagateurs de la nouvelle religion). Mais la critique biblique estime qu'ils ont été rédigés plus tard, entre 70 et 110 de notre ère (et remaniés entre 135 et 150).

Genèse, ou *Berechit* (« Au commencement ») : premier des cinq livres de la Torah. C'est dans la Genèse que sont racontées la création du monde, la création de l'homme, la destruction par le Déluge, l'histoire d'Abraham et de ses descendants jusqu'à Moïse.

Jugement dernier : selon les religions de la Bible, à la fin des temps interviendra le jugement de Dieu, qui départagera bons et méchants, justes et pécheurs, dans un cataclysme universel. À partir du IIe siècle avant J.-C. intervient l'idée d'un jugement des morts, après une résurrection générale. Ce jour de Dieu sera un jour de colère.

Lévitique, ou *Vayikra* (« Et Il appela ») : troisième livre de la Torah, où sont énumérées les règles religieuses (sacrifices, règles de pureté, interdiction de l'inceste, etc.) dictées par Dieu à Moïse dans le désert.

Messie : voir **Christ**.

Midrash : commentaires oraux du Tanakh, mis par écrit dans le Talmud et différents autres traités dans la littérature rabbinique.

Pères [de l'Église] : on nomme ainsi les personnalités (souvent des évêques) qui ont contribué à établir et à défendre la doctrine chrétienne par leurs écrits ou leurs actes. Les principaux (pour l'Église d'Occident) sont Ambroise de Milan (340-397), Jérôme de Stridon (347-420), l'auteur de la Vulgate, Augustin, évêque d'Hippone (354-430), et Grégoire, dit le Grand (540-604), pape sous le nom de Grégoire Ier, de 590 à sa mort.

Prophète, prophétie : le prophète est celui qui comprend la volonté divine, et peut donc la transmettre au reste de la population. La prophétie est l'expression de cette volonté.

Rabbinique [littérature] : les rabbins sont les docteurs de la Loi juive. Après la destruction du Temple, c'est leur enseignement qui est devenu, avec le Tanakh, le socle de la religion juive, dite judaïsme rabbinique. Cet enseignement, d'abord oral (il se poursuit aujourd'hui encore), est au fil du temps fixé par écrit dans divers traités, les plus anciens étant réunis dans le Talmud.

Les commentaires expriment des points de vue différents, parfois divergents ou même contradictoires. Ces commentaires peuvent aussi s'accompagner d'anecdotes ou de digressions qui servent aussi bien à illustrer le propos qu'à réveiller l'intérêt des fidèles.

Sacrifice : offrande à Dieu d'un animal qu'on tue en son honneur. Sauf dans le cas de l'holocauste, la chair cuite est consommée par le sacrifiant, sa famille et les sacrificateurs. On offre un sacrifice pour trois raisons : en signe de soumission à Dieu, d'action de grâces (de remerciements) ou de repentir pour une faute commise par négligence ou par inadvertance.

Saint-Esprit : force invisible et agissante, émanant de Dieu.

Temple : désigne pour les juifs le Temple de Jérusalem. Pendant longtemps, les Juifs transportaient avec eux l'arche d'Alliance, signe de la présence de Dieu à leurs côtés. C'est le roi Salomon (Xe s. av. J.-C.) qui fit construire le premier Temple à Jérusalem, pour y abriter l'Arche. Ce premier Temple fut détruit en 587 avant J.-C. par Nabuchodonosor II. À la fin de l'Exil, un second Temple fut bâti (520-515 av. J.-C.). Mais en 70 après J.-C., celui-ci fut également rasé, par le général romain Titus, cette fois-ci définitivement.

L'AUTRICE
Flore **Talamon**

Je suis née à Paris dans le quartier des libraires et des bouquinistes. Cela n'a rien d'un hasard. Un de mes aïeux s'y est un jour installé comme éditeur et ma famille y a pris souche. D'aussi loin que je me souvienne, le livre est là, fascinant réservoir d'histoires, mais aussi espèce prolifique envahissant la maison par piles de tailles toujours croissantes.

Des études de sciences politiques puis de commerce m'entraînent pendant plusieurs années loin de la littérature, dans les arcanes de la vie de l'entreprise. La découverte de l'écriture bouleverse cette trajectoire et me pousse à mes premiers essais dans la bande dessinée, le journalisme et les romans pour la jeunesse. Je me partage aujourd'hui entre cette dernière activité et les ateliers d'écriture.

Pourquoi ai-je choisi d'écrire un roman sur Noé ? Peut-être est-ce moins le personnage qui m'a fascinée que le récit des événements qu'il traverse. En quelques versets sont abordés des sujets aussi essentiels que la violence des hommes, la fragilité de la Création – dont la survie ne tient ici qu'à une embarcation de fortune – et la nécessaire fraternité entre les hommes et les animaux.

Toutes questions qui ont une résonance particulièrement aiguë à une époque où l'empire gagné par l'homme sur la planète fait craindre sa disparition…

Quelques ouvrages de la même autrice :

Ève – La ruse du serpent, collection « Histoires de la Bible », Nathan.

Sarajevo 1995 – Entre deux feux, collection « Les Romans de la mémoire », Nathan.

Le singe de Buffon, avec Laure Bazire, collection « nathanpoche », Nathan.

La plume de l'ange, avec Laure Bazire, collection « nathanpoche », Nathan.

L'encrier du diable, avec Laure Bazire, collection « nathanpoche », Nathan.

TABLE DES MATIÈRES

DANS LA MÊME
COLLECTION

MIXTE
Papier issu de
sources responsables
FSC® C022030

© 2012 Éditions NATHAN, SEJER, 92 avenue de France, 75013 Paris
Loi n° 49-956 du 16 juillet 1949 sur les publications destinées à la jeunesse,
modifiée par la loi n° 2011-525 du 17 mai 2011.
ISBN 978-2-09-253806-7

N° éditeur : 10281119 - Dépôt légal : février 2012
Achevé d'imprimer en février 2022
par «La Tipografica Varese Srl» (21100 Varese, Italie)